LA CRÍTICA /.......... ....
DE ADELA FERNÁNDEZ

"Los personajes de Adela Fernández están plenos de emociones, sentimientos y ambivalencias psicológicas. La adversidad, más que circunstancial, es una afrenta directa y fatal contra la fragilidad del individuo. Me sorprende como los lleva a la catarsis. Sus finales insólitos me quitan el aliento."

—Ofelia Medina
Actriz, directora de teatro

"En los cuentos de Adela Fernández está presente la prosa poética, ese lenguaje que profundiza y eleva, rasga, hiere, sangra, y en ocasiones purifica. Sus palabras son saetas; la construcción de sus relatos no se derrumba y es demoledora para el lector sensible."

—Elsa Cross
Premio en poesía Xavier Villaurrutia, 2008

"He aquí un manojo de cuentos de Adela Fernández en contra de la aberración, de lo injusto tanto en lo social como en lo individual psicológico. Libro que tienta buscando vericuetos que hallar e iluminar. Escritura donde prima la pasión y quizá por eso una descollante fuerza dramática."

—Felix Luis Viera
Reseña de Vago espinazo de la noche

"En Coyoacán, a Adelita, hija de Emilio "Indio" Fernández, se le dio el mote de "la niña cautiva". Celada por su padre dio motivo a murmuraciones compasivas y fantasiosas. Cierto es que Adela fue sometida a servir a genios, divas y multitudes de invitados en aquellas célebres fiestas del Indio, y que cuando él salía a filmar fuera de México también vivió largas temporadas recluida en la Fortaleza del cineasta, sola, acaso cuidada por sirvientes... Fue tanto lo que imaginó en la soledad de su niñez, fueron tantas las leyendas que escuchó de sus nanas, tantos los temperamentos que observó en personalidades impetuosas, y tantas fueron las revelaciones del mundo mítico y mágico que aprendió como arqueóloga y antropóloga, que no debe sorprendernos que sus cuentos tengan la mezcla de lo fantástico y lo real abrasivo. Hay en ellos mucho de infierno y de alas y una peculiar concepción de las emociones y de la conducta humana."

—Luis Everaert Dubernard
Ensayista y cronista de Coyoacán

Su temática tiende a urdir episodios estremecedores o singulares -ya realistas o imaginativos- en los cuales la enajenación es casi siempre desemboque de seres en colisión con sus circunstancias, que tratan de evadir resbalando hacia otras que les abren el camino de la locura o el desajuste irremediable con su medio... Relatos bien conducidos en cuanto a la concisión que exige el género, y con un lenguaje a la medida de los personajes, virtudes ellas que justifican ubicar a Adela Fernández como una de las más interesantes cuentistas mexicanas."

—Edmundo Valadéz
Escritor y creador de la revista EL CUENTO
Selección y comentarios en Cuentos Mexicanos Imborrables -
Antología *(Septiembre 1993)*

"Aún caben sorpresas agradables en el mundo. Por ejemplo, abrir un libro llamado *Duermevelas*, del que nada se sabe, leerlo y quedar agradecido de lo allí encontrado. . . Los cuentos exigen un sentido de la unidad muy preciso. Consigue esto Adela Fernández mediante estructuras anecdóticas ceñidas a lo indispensable: solo entregar al lector los datos imprescindibles, sin digresión alguna. Mezclado al mundo convencional vive el mundo de lo mágico; el primero obedece al segundo, pero es un acatamiento lleno de agresividad. . .

Como toda literatura fantástica o de valía, los cuentos de Adela Fernández aprovechan la herramienta de lo insólito para enfrentarnos a ciertos estratos de nuestra conducta, sea social o venga del inconsciente, que revelan facetas del ser humano dignas de explorar."

—Federico Patán
Periódico "Uno más Uno".

"He aquí un manojo de cuentos de Adela Fernández en contra de la aberración, de lo injusto tanto en lo social como en lo individual psicológico. Libro que tienta buscando vericuetos que hallar e iluminar. Escritura donde prima la pasión y quizá por eso una descollante fuerza dramática."

—Felix Luis Viera
Reseña de Vago espinazo de la noche

"El lenguaje de la autora fluye claro y directo y siempre nos conmueve, aun en las puestas en escena truculentas o hinchadas de fatalidad, de esa fatalidad que abruma a sus personajes niños, espíritus que despiertan con extrañamiento a un mundo agobiado por la culpa y el castigo; niños condenados por la vida insatisfecha de quienes no han encontrado el profundo sentido de la existencia."

—Ricardo Díaz Muñoz

*A Emilio Quetzalcóatl y Sylbia Atenea, mis hijos,
y a Rosario Guillermo, a quienes vi crecer juntos,
afectados por el ritmo de mis ansiedades y el rigor
de vivirlo todo con intensidad. Solo hay algo más
terrible que la muerte; despreciar la vida.*

*A ellos, en recuerdo de los cuerpos desnudos a falta
de ropa; de los pies descalzos; de los ojos asombrados
en playas, ciénagas y bosques; de las ciudades que
cruzamos a pie; del nomadismo en desasosiego; del
cuarto de azotea, nuestra vivienda; de las sopas
de cebolla y los baños de agua fría; de los juguetes
negados; de los simulacros de vitrales pintados a
mano; de los primeros trazos en tinta; del teatro
de la crueldad ejercida en los ensayos; del miedo
padecido cada vez que logramos abrir telón.*

*En recuerdo del dolor de tanta lucha; de su infancia
y juventud amordazadas en el silencio del trabajo;
de las risas y ternuras; de los girasoles cabizbajos
sin sol; en recuerdo del fósforo alucinante, lluvia de
estrellas en las playas de Huaymitún.*

Copyright © Adela Fernández, 2009

Primera edición: Noviembre de 2009

Reservados todos los derechos. Prohibida la reproducción total o
parcial de esta obra sin autorización escrita de los titulares de los derechos.

Editorial Campana
19 West 85th Street
New York, NY 10024
www.editorialcampana.com

Library of Congress Cataloging-in-Publication Data

Fernández, Adela (1942).
    Cuentos de Adela Fernández: Duermevelas y Vago espinazo de la noche.
    p. cm.
    ISBN-13: 978-1-934370-08-7 (pbk. : alk. paper)
    ISBN-10: (pbk. : alk. paper)
    I. Title.

Vago espinazo de la noche fue publicado originalmente por el Taller editorial La correa
feminista, México, en abril de 1996. Segunda edición por Editorial Aliento, México, 2005.
Duermevelas fue publicado originalmente por Editorial Katún en 1986. Segunda edición
por Editorial Aliento, México, 2003.

Diseño de portada: Yolanda V. Fundora
Imagen de portada: "Niña de yeso" de Amapola Garavito
Foto interior: "Atenea en el umbral" de Wendy Hidalgo
Diseño y Tipografía: Yolanda V. Fundora
Ilustraciones: Atenea Magoulas
Foto de la autora: Emilio Quetzalcóatl Fernández

Cuidado Editorial: Mario Picayo

Impreso en los Estados Unidos de América
9 8 7 6 5 4 3 2 1

Cuentos de

ADELA FERNÁNDEZ

❧

DUERMEVELAS

Y

VAGO ESPINAZO
DE LA NOCHE

❧

editorial **Campana**

NEW YORK

Nota Introductoria
Sonia Rivera-Valdés

Con los adjetivos "seriesísima, tristísima y oscura" ha calificado Gabriel García Márquez a Adela Fernández, al referirse a su literatura. Seriedad, tristeza y oscuridad que puestas al servicio de su magistral escritura ejercen un dominio irresistible sobre la lectora o lector. Quien no quiera enfrentarse a este conjunto de crudas y acertadas historias alucinantes no empiece a leer la dedicatoria del libro porque al terminar la última palabra se encontrará volteando la página para comenzar el primer cuento, "La jaula de Tía Enedina", y no podrá dejarlos hasta llegar al punto final de "Truncadora y tornadiza".

Lo impactante de estos relatos, de tramas sorprendentemente lúcidas, regidas en su mayoría por una lógica más cercana a la que impera en los sueños que a la que organiza la vida diurna, reside en su capacidad para iluminarnos si los leemos como pasajes sombríos cuyo tránsito es inevitable para alcanzar la región donde albergan dentro de nosotros esas motivaciones poco gratas, ocultas por las apariencias, que dirigen con más frecuencia de la que desearíamos nuestra conducta para incitar compulsiones que generan indeseables debilidades y crueldades. Verdades que el orden social esconde empecinadamente y la mayoría de los seres humanos se niega a aceptar por desconcertantes, tan perturbadoras que para alumbrarlas se necesita asumir, como lo hace Adela Fernández en la dedicatoria que precede estos relatos, con una honestidad de la que pocas personas son capaces, que la toma de sus decisiones vitales, motivadas por "el ritmo de mis ansiedades y el rigor de vivirlo todo con intensidad" condujo a sus hijos a sufrir penurias que les dejaron marcas imborrables, y a vivir experiencias deslumbradoras, como la "lluvia de estrellas en las playas de Huaymitún".

Haciendo un certero uso de la lengua, de una imaginación desbordada y un sagaz manejo de la ironía, ajena a moderaciones acomodaticias, las bien construidas tramas de estos relatos están unidas por la crítica social y anticlerical que los permea, una observación expuesta sin paliativos de los aspectos más aberrantes de la conducta de los personajes y una profunda compasión por toda miseria humana.

En este universo regido por perpetuos juegos de poder cuya regla principal, tanto para las víctimas como para los victimarios, es obedecer la posición que les ha tocado ocupar en el juego, las historias se desarrollan tanto en la ciudad como en ambientes rurales, y los protagonistas pueden pertenecer a cualquiera de los estratos de la sociedad. Incestos y violaciones son ejecutados como acciones normales, pero estos actos encuentran plena justificación al ser cometidos y narrados por personajes apresados en circunstancias donde lo hecho significa la única alternativa para sobrevivir, ya sea física o emocionalmente.

Las expresiones de empatía y solidaridad se dan solo entre quienes ocupan la posición débil en una situación dada, como sucede entre los huérfanos de "Vago espinazo de la noche" o el sobrino y la tía de "La jaula de Tía Enedina", marginados por la familia, ella por loca y él por negro: "La verdad, a mí me da mucha lástima la tía, y como no he podido llevarle su canario, decidí darle caricias". Sus buenas intenciones lo conducen a forzarla a sostener relaciones sexuales con él, relaciones a las que ella se aficiona, reclama con insistencia y cuyo resultado es espeluznante. Para Simona, la protagonista de "Con los pies en el agua", la prostitución es la única forma de vida que conoce. El lema del burdel donde nació y se crió es: "Mientras la luz se pague, el foco alumbra por igual lo bueno y lo malo, así que la vida transcurría transparente" y su padre "era el mejor de sus clientes". En "De todos los oficios" el hijo ha sido castrado por el padre y declara: "...me dedico a la tarea de bufón provocándole carcajadas [...] Harto ya de las mujeres, infecundo y viejo, suele llamarme a su alcoba para efectuar conmigo decadentes juegos sexuales que para mí son más tristes que ofensivos".

Las situaciones, a lo largo del libro, resultan desgarradoras para quien lee, no para los personajes que cuentan sus vidas o son contadas por la voz narradora, sin asomos de lamento: "Era más normal vomitar que comer y desconocía la tristeza aunque para todos ella fuera un personaje triste enmarcado en el inframundo de una ciudad perdida". Víctimas de la miseria, el racismo, el fanatismo religioso y la discriminación no son culpables, aun cuando grande sea su pecado, como es el caso en "Jaculatorias e indulgencias" en que una niñera indígena y fanática religiosa actúa como la más dedicada de las madres para los niños que cuida mientras su propia hija padece el mayor maltrato.

Los personajes niños/as, luchan desesperadamente por cariño y buen trato, sin importar el estrato de la sociedad en que estén ubicados. En "Vago espinazo de la noche" y en "Stasho" los protagonistas recurren a ingeniosas decisiones extremas para que los quieran y la vida se les haga soportable. En ambos casos un error de cálculo hace que los resultados de sus acciones sean devastadores. Un aspecto relevante en la construcción de "Stasho" es la excelencia que demuestra su autora para transmitir el caudal de conocimientos que posee sobre tradiciones de su país, manteniendo la historia dentro de la ficción literaria y para que la severa crítica de las supersticiones que aparecen en esta historia, de resultados nefastos para cuantos están involucrados en su práctica, vaya dirigida a los responsables de que se perpetúe, el clero.

No menos desvalidos que las víctimas de la miseria y el oscurantismo religioso son los personajes pertenecientes a una clase social más aventajada. Su desgracia proviene, fundamentalmente, de la negación. Negación a ver dentro de sí mismos, a aceptar y obedecer los dictados de su verdadero yo, o a "ver" a quienes los rodean.

Cada uno de los miembros de la familia de "Una distinta geometría del sentimiento" oculta una tenebrosa vida tras la apariencia de ser "…una familia como todas, normal y cotidiana". El esposo de la protagonista de "Ana y el tiempo", después de quince años de casados advierte que su esposa carece de mano izquierda: "Advierto que Ana no disimula su carencia, parece habituada con total aceptación, o tal vez no está consciente de eso". A partir del momento del descubrimiento se obsesiona por saber cómo perdió la mano. Su elucubración es constante, pero jamás le pregunta a ella, en parte por temor a averiguar que él mismo se la haya amputado. Narcedalia, la niña protagonista de "Juegos de poder" desea con tal vehemencia ser libre que le es otorgado un poder maléfico, los papeles se invierten y queda convertida en verdugo de quien toda su vida fue reo. "Mecanismo" descubre la tortuosa dinámica entre una madre, incapaz de aceptar la realidad, y su hijo.

Al terminar estas treinta y siete historias, la realidad inasible de los seres que las habitan—impotentes ante la adversidad, prisioneros de su destino e incapaces de llorar su infortunio—acompañarán a quien las haya leído por largo tiempo, y aun después que crea haberlas olvidado surgirá una situación que se las traerá a la memoria. Y caerá en la cuenta de que la existencia oscura de esos personajes le ha enseñado a ver con más claridad la suya. Y sobre todo, tal vez estas historias le recuerden, cuando le toque asumir una posición de poder en este juego de la existencia, algo que dijera Adela Fernández durante una entrevista: "Donde no hay ética todo se hunde, cuando no hay principios entramos en la corrupción y en la descomposición social."

Prólogo

Crecí rodeada de indígenas y mestizos venidos de diferentes pueblos de México, gente que mi padre contrataba al servicio de la casona, siempre en construcción. Constantemente se iba la luz, así que albañiles, canteros, talabarteros, caballerangos, galleros, cocineras, lavanderas, bordadoras y nanas, agrupados en la cocina, a la luz de las velas o rodeando una fogata, solían contarme cuentos y leyendas rurales. Mi mente quedó invadida de fantasmas, naguales, castigos divinos e inclemencias de la naturaleza. A la vez crecí bajo la influencia de personalidades, nacionales y extranjeras, dedicadas al arte, especialmente al cine. A ellos los escuché hablar de sus ideas, proyectos de artes plásticas, literarios y cinematográficos. Los más destacados, quienes dejaron profunda huella en mí, fueron José Revueltas y Juan Rulfo. La memoria y la narración, oral o escrita, parecía ser la manera de luchar contra el aburrimiento y entrar en la actividad de fascinar. Yo, que tenía poco o nada que contar, con hálitos de sobresalir, inventaba mis propios cuentos de terror o fantásticos. A los quince años, tenía ya un buen fajo de escritos, papeles que al dejar mi casa de infancia, se perdieron.

Al separarme de aquel ambiente nacionalista, apasionadamente entregado al mexicanismo, en 1958 me acerqué al grupo de pintores surrealistas: Leonora Carrington, Remedios Varo, los Duchamp, los Horna, la Tichernon, y Marysole Worner Baz quien se distinguía por ser expresionista. Y, también, a la luz de las velas, más por motivos mágicos y esotéricos, se leían textos, se inventaban ciudades y personajes asombrosos, se hablaba del mundo onírico. La reunión de los viernes estaba dedicada a recreaciones lúdicas: narración e interpretación de sueños; cuadros pintados "al alimón" o colectivos; escritura automática, tests psicoanalíticos interpretando signos y símbolos en las manchas húmedas de la pared, sesiones de espiritismo y de hipnosis, y juegos más ligeros como el "cadáver exquisito" y la "trivia". Uno de aquellos pasatiempos era que, para formar un poema, cada quien escribía un verso en el que todas las palabras debían comenzar con una letra dada en sorteo. Aún recuerdo mi primera frase: *mórbidas mujeres mordiendo muerte,* frase que me hicieron llevar a casa como base para elaborar un poema. Lo titulé *La rosa en el vaso.* Los textos resultantes de aquellos fantásticos ejercicios se mezclaban, embrollados, buscando tocaran el surrealismo o, incluso, el dadaísmo y el absurdo: poemas, prosa, pinturas, esbozos, brochazos, que eran de todos y de nadie, se firmaban con seudónimos rimbombantes y sugerentes. Esos divertimentos, periódicamente fueron publicados en la revista *Snob* que patrocinaba Gustavo Alatriste. Fue ahí, con ellos, donde empecé a escribir profesionalmente y a publicar. También participé con los imitadores que hacían gacetillas en mimeógrafo, de un tiraje no mayor de 50 ejemplares, repartidos en la calle o centros culturales. Para aquellos talentos del surrealismo en México, las tertulias intelectuales eran divertidas, de gran solaz. A mí me cautivaron, causaron gran impacto. Tenía 16 años, y los fantásticos ejercicios, con todos sus riesgos, me llevaron a las cavernas del subconsciente. La influencia y enseñanzas de aquel grupo han sido, para mí, indisolubles.

A la par, bajo los títulos de "Cuentos breves escenificados" y "teatro efímero" escribía y dirigía obritas surrealistas que no duraban más de dos o tres minutos, la mayoría representadas en galerías de pintura y librerías. Me desconecté del grupo cuando fui a vivir a Nueva York (1961-1963). Al regresar a mi país, reapareció la revista, mensual y de alto tiraje *El Cuento,* la cual impulsó a su máxima respetabilidad este género, que en México se veía como "arte menor". Su director, Don Edmundo Valadés me promovió y fue él quien me animó a publicar mi primer libro: *El Perro o el hábito por la Rosa.* Fue una edición de autor, con viñetas de Marysole Worner Baz, patrocinada por Consuelo Moreno, una amiga que tenía una imprenta para tesis. Al agotarse mi edición y pedirle una reedición, ella ya había formado la Editorial Katún con varios títulos de literatura en el mercado. Contaba con un Consejo Editorial que calificó a mi libro de "híbrido", lo cual fue una crítica acertada ya que contenía cuentos, poemas, teatro efímero e incluso un ejercicio de puntuación. Dijeron que los cuentos se podían dividir y calificar como "insólitos" y "realistas".

Fueron rechazados y no se volvieron a publicar los cuentos "En espera del epílogo" (1970), "Cracovia"

(1974), "Realización simbólica" (1974), y "Estudio lento para perro largo adelgazándose al amanecer", dedicado a Eric Satie. (Por su ritmo y estructura literaria en los que alterné prosa con poesía, este último fue excluido del cuento como género. Rechazaron también "Teatro instantáneo para títere melancólico", el poema "La rosa en el vaso" y "Fuga y puntuación" prosa poética en la que cambiando la puntuación, en el mismo texto se modifica totalmente el significado. Eligieron "Agosto, el mes de los ojos" (1972) y cuentos escritos en 1973: "La jaula de tía Enedina", "Los vegetantes" y "Una distinta geometría del sentimiento." Así que para completar un libro y que Katún lo publicara tuve que escribir otros cuentos: "Cordelias", "Yemasanta", Hipocausto", "Reencuentros", "El hombre umbrío", "Reloj de sombra", "Juegos de poder", "Heliocidio", "Las gallinitas", "Ana y el tiempo", "Memoria y olvido", "Polifemo" y "Los mimos vacíos". Se editó *Duermevelas,* con viñetas de Edgardo Villalba, Editorial Katún, 24 de enero,1986. Tiraje: mil ejemplares.

Para el segundo compendio, (1972-1974), eligieron: "Stacho", "Mecanismo", "Regresión" y "El montón". Agregué: "Taciturno" (1968) y otros cuentos escritos entre 1975 y 1994: "De todos los oficios", "Más que fenicio", "Jaculatorias e indulgencias", "Con los pies en el agua", "Ese maldito animal", "Macedonia", "Incineraciones" "Apostasía", "La venganza de Flaubert", "A la sombra del relámpago", "No hay que dejar ascender a la muerte", y "Vago espinazo de la noche", que dio el título al libro. Para cuando lo tuve terminado, editorial Katún se había extinguido. Dos años estuve, vanamente, buscando editorial para publicarlo. Hasta que Ximena Bedregal

Sáenz creó la colección Las hijas de Carmenta y editó, en su taller La Correa Feminista, el *Vago espinazo de la noche*, 500 ejemplares del abril de 1996.

Don Edmundo Valadés integró cuentos míos en su antología *Cuentos Mexicanos Inolvidables*, bajo el patrocinio de la Secretaría de Educación Pública, la Cámara Nacional de la Industria Editorial y la Asociación Nacional de Libreros. Anualmente se publican 75 mil ejemplares los cuales son regalados, especialmente a estudiantes, en la Feria Nacional del Libro. Esto me convirtió en lectura obligatoria en las escuelas de bachilleres. Agotados los libros de Katún y de Las hijas de Carmenta, en ediciones de autor, imprimí mil ejemplares de *Duermevelas* (julio, 2003) y otros mil del *Vago Espinazo de la noche* (marzo, 2005).

Es ahora cuando Editorial Campana reúne los cuentos de ambos libros en un solo compendio. El cuento "Truncadora y tornadiza" es un avance de un nuevo libro que está en proceso, que titularé *El miedo y sus aliados*. Como lo indica el título, es el miedo el que da unidad al conjunto. De mis años trabajando en el Instituto Nacional Indigenista y en las exploraciones arqueológicas al lado de Demetrio Sodi Morales, tengo casi por terminar otro libro de cuentos, *Magismo,* que si bien está inspirado en el pensamiento mágico de los pueblos indígenas, es literatura de ficción.

Adela Fernández
Coyoacán, enero de 2009

ÍNDICE

Duermevelas

Mi nana decía que a mí me atacaban las duermevelas porque de pronto me quedaba dormida en cualquier sitio y hasta de pie podía conciliar el sueño. Era una caída repentina en otro mundo lleno de imágenes, sin embargo no perdía por completo la conciencia, mantenía los ojos abiertos y podía escuchar todo cuanto decían: "A la niña ya la atrapó otra duermevela y cuando despierte se soltará a contarnos historias insensatas y sin juicio".

La jaula de Tía Enedina

Desde que tenía ocho años me mandaban a llevarle la comida a mi tía Enedina, la loca. Según mi madre enloqueció de soledad. Tía Enedina vivía en el cuarto de trebejos que está al fondo del traspatio. Conforme me acostumbraron a que yo le llevara los alimentos, nadie volvió a visitarla, ni siquiera tenían curiosidad por ella. Yo también les daba de comer a las gallinas y a los marranos. Por estos sí me preguntaban, y con sumo interés. Y era importante para ellos saber cómo iba la engorda, en cambio, a nadie le interesaba que Tía Enedina se consumiera poco a poco.

Así eran las cosas, así fueron siempre, así me hice hombre, en la diaria tarea de llevarles comida a los animales y a la tía.

Ahora tengo 19 años y nada ha cambiado. A la tía nadie la quiere. A mí tampoco porque soy negro. Mi madre nunca me ha dado un beso y mi padre niega que soy hijo suyo. Goyita, la vieja cocinera, es la única que habla conmigo. Ella me dice que mi piel es negra porque nací aquel día del eclipse, cuando todo se puso oscuro y los perros aullaron. Por ella he aprendido a comprender la razón por la que no me quieren. Piensan que al igual que el eclipse yo le quito la luz a la gente. Goyita es abierta, hablantina y me cuenta muchas cosas, entre ellas cómo fue que enloqueció mi tía Enedina.

Dice que estaba a punto de casarse y en la víspera de su boda un hombre sucio y harapiento tocó a la puerta preguntando por ella. Él le aseguró que su novio no se presentaría a la iglesia y que para siempre sería una mujer soltera. Compadecido de su futuro le regaló una enorme jaula de latón para que en su vejez se consolara cuidando canarios. Nunca se supo si aquel hombre que se fue sin dar más detalles era un envidado de Dios o del Diablo.

Tal como se lo pronosticó aquel extraño, su prometido, sin aclaración alguna desertó de contraer nupcias, y mi tía Enedina, bajo el desconcierto y la inútil espera, enloqueció de soledad. Goyita me cuenta que así fueron las cosas y deben de haber sido así. Tía Enedina vive con su jaula y con su sueño: tener un canario. Cuando voy a verla es lo único que me pide, y en todos estos años yo no he podido llevárselo. En casa a mí no me dan dinero. El pajarero de la plaza no ha querido regalarme uno, y el día que le robé el suyo a Doña Ruperta, por poco me cuesta la vida. Lo escondí en una caja de zapatos, me descubrieron, y a golpes me obligaron a devolvérselo.

La verdad, a mí me da mucha lástima la tía, y como no he podido llevarle su canario, decidí darle caricias. Entré al cuarto... ella, acostumbrada a la oscuridad, se movía de un lado para otro. Se dio cuenta de que su agilidad huidiza me pareció fascinante. Apenas podía distinguirla, ya subiéndose a los muebles o encaramándose en un montón de periódicos. Parecía una rata gris metiéndose entre la chatarra. Se subía sobre la jaula y se mecía con un balanceo algo más que triste. Era muy semejante a una de esas arañas grandes y zancudas, de pancita pequeña y patas frágiles.

A tientas, entre tumbos y tropezones comencé a perseguirla. Qué difícil me fue atraparla. Estaba sucia y apestosa. Su rostro tenía una gran similitud con la imagen de la Santa Leprosa de la Capilla de San Lázaro: huesuda, cadavérica, como un Dios adentro que se gana mediante la conformidad. No me fue fácil hacerle el amor.

Me enredaba en los hilachos de su vestido de organdí, pero me las arreglé bien para estar con ella. Todo esto a cambio de un canario que por más empeño que puse, no podía regalarle.

Después de aquella amorosidad, cada vez que llegaba con sus alimentos, ella sacaba la mano de uñas largas en busca de mi contacto. Llegué a entrar repetidas veces, pero eso comenzó a fastidiarme. Tía Enedina me lastimaba, incrustando en mi piel sus uñas, mordiendo, y sus huesos afilados y puntiagudos se encajaban en mi carne. Así que decidí buscar la manera de darle un canario, costara lo que costara.

Han pasado ya tres meses que no entro al cuarto. Le hablo de mi promesa y ella ríe como un ratón, babea y pega de saltos. Me pide alpiste, posiblemente quiere asegurar el alimento del prometido canario. Todos los días le llevo un poco de ese que compra Goyita para su jilguero.

Ha transcurrido más de un año y lo del canario parece imposible. Me duele comunicarle tal desesperanza, tampoco quiero hacerle de nuevo el amor. A cambio de caricias y canarios, le he propuesto el jilguero de Goyita. Salta, ríe, mueve negativamente la cabeza. Parece no desear más tener un pájaro, sin embargo insiste en los puños diarios de alpiste que le llevo. Cosas de su locura, el dorado de las semillas debe en mucho regocijarla.

Me sentí demasiado solo, tanto que decidí volver a entrar al oscuro aposento de la tía Enedina. Desde aquellos días en que yo le hacía el amor, han pasado ya dos años. A ella la he notado más calmada, puedo decir que vive en mansedumbre. Pensé que ya no me arañaría. Por eso entré a causa de mi soledad y de haberla notado apacible.

Ya adentro del cuarto, quise hacerle el amor pero ella se encaramó en la jaula. Motivado por mi apetito de caricias, esperé largo rato, tiempo en el que me fui acostumbrando a la penumbra. Fue entonces cuando dentro de la jaula pude ver a dos niñitos gemelos, escuálidos y albinos. Tía Enedina los contemplaba con ternura y felizmente, como pájaros, les daba el diminuto alimento.

Mis hijos, flacos, dementes, comían alpiste y trinaban.

Cordelias

El árabe llegó a nuestra aldea con su camioneta azul dando tumbos en la brecha pedregosa y mirando con enfado el paisaje baldío. En la bodega de Luciano descargó veinte cajas de madera llenas de verdura y frutas, alimento apreciado en nuestra tierra infértil. Apenas se hubo ido, se amontonaron todas las mujeres prontas a comprar la mercancía. Don Luciano, aturdido, trataba de calmarlas, mientras con el martillo desprendía las tablas, dejando a la gulosa vista aquellas frutas y hortalizas de colores excitantes. Con tantos manojos de yerbas aromáticas el ambiente se hizo delicioso. Los niños esperábamos ansiosos que la ayudante de Don Luciano nos arrojara aquellas frutas que por magulladas se deshacían de ellas.

La algarabía se tornó en asombroso silencio cuando al abrir una de las cajas, los ojos atónitos vieron dentro de ella, acurrucada dolorosamente en el estrecho espacio, a una niña de tres años. La sacaron y comenzó a llorar a causa de sus miembros entumecidos y por el escándalo que la rodeaba. La sacaron, le dieron un poco de agua tibia y una bolita de migajón para evitarle los ácidos estomacales, producto del miedo. Hubo sentimientos de compasión, suposiciones e invención de historias acerca de su procedencia: que si el árabe se la había robado y la dejó ahí por equivocación; que si a lo mejor él no sabía nada y que alguien la echó en la caja para deshacerse de ella; que si a lo mejor los elotes se habían transformado en una niña hija de la deidad del maíz y que debía ser adorada como diosa; que si tal vez era el mismito Diablo que en imagen de aparente inocencia había llegado al pueblo para desatar la maldad y una cadena de tragedias.

Fue mi madre quien alegó que se dejaran de tonterías, que el caso era claro y simple, nada más que una niña abandonada, evidencia de la irresponsabilidad o de un acto desalmado. Conmovida, mi madre decidió llevarla a casa hasta que regresara el árabe para aclarar con él las cosas, pero el frutero jamás volvió al pueblo y ella tuvo que hacerse cargo de la niña. Adopción que si bien fue forzada, no estuvo exenta de misericordia. Mi madre me exigió que la tratara como a una hermana y le dio el nombre de Cordelia. Esta pequeña vino a romperme el hastío propio de un hijo único y pronto me hice a la costumbre de los juegos compartidos, de los diálogos fantasiosos y de los pleitos sin importancia.

La gente del pueblo siguió inventando historias posibles sobre su identidad, por lo que mi madre prefirió que Cordelia no saliera de casa, librándola así de los chismes populares. Con la esperanza de que olvidara su orfandad, le dio cuanto cariño latía en su corazón al grado de consentirla más que a mí. Fue el encanto natural de Cordelia lo que impidió que yo sintiera celos.

Cuando el tema estuvo agotado y todos llegaron a la indiferencia por la recogida, mi madre comenzó a llevarla al mercado y a la iglesia. El día que fueron a traer agua de la fuente, Cordelia se sorprendió al ver por vez primera su rostro reflejado y comenzó a hablar consigo misma. Estaban a punto de volver a casa cuando de la fuente salió el reflejo y adquirió cuerpo y alma. Mi madre fingió no asombrarse y ante los ojos estupefactos de los aguadores, como si nada hubiera pasado, tomó a las niñas de la mano y emprendió la caminata de regreso. Mi madre llegó a casa con dos Cordelias, una de ellas empapada. Las murmuraciones recomenzaron y tuvo que sobreponerse a las maledicencias.

En otra ocasión, de visita en casa de Hortensia la costurera, las niñas se probaban ante el espejo sus vestidos nuevos y con risas y gesticulaciones entusiastas compartían con sus reflejos la dicha de estrenar ropa. Mi madre pagó el valor de la hechura a la modista y se marchó satisfecha de poder vestir a sus dos hijas obtenidas por la gracia de Dios. A la velocidad de la luz, del espejo salieron los reflejos y tras adquirir cuerpo y alma corrieron a abrazarla. Esa vez mi madre regresó a la casa con cuatro Cordelias.

A la mañana siguiente, apenas comenzado el día, la gente se congregó en el atrio de la iglesia para dar opinión sobre el asunto. Nunca antes su imaginación había producido tantas hipótesis y advertencias sobre el misterio de Cordelia y quisieron comprobar el fenómeno de su multiplicación ante la multitud y bajo el amparo de Dios.

Varias mujeres, furias de oficio, entraron a la casa y a la fuerza se llevaron a mi madre y a las cuatro Cordelias. En el atrio habían colocado un enorme y antiguo espejo ante el cual enfrentaron a las niñas. Los reflejos adquirieron vida propia y cuando estaban a punto de salir de el azogue, Don Luciano, aterrado, lanzó una piedra rompiéndolo en pedazos que cayeron desparramados en el patio de adoquín. Brotaron tantas Cordelias como fragmentos de cristal había. El pánico dispersó a la gente que fueron a refugiarse a sus casas. Mi madre tuvo la fuerza de amparar a todas sus hijas no sin antes pedirles a sus vecinos que se deshicieran de sus espejos.

Nadie se atrevió a romper los espejos por el peligro que ello representaba. Como medida se dieron a la tarea de pintarlos de negro y algunos, los más temerosos, prefirieron enterrarlos. En lugar de cristales hay oscuros de madera en las ventanas. Todos los aljibes están cubiertos e incluso construyeron un domo sobre la fuente de la que hoy se abastecen de agua por medio de una llave. La gente toma el líquido con cautela y cubren sus vasos y ollas con paños negros.

Las Cordelias, por su parte, andan por todos lados arañando la tierra, en la desesperada tarea de encontrar algún espejo para poder seguir con la reproducción de su especie.

*Una distinta geometría
del sentimiento*

Es una familia como todas, normal y cotidiana. Papá se llama Rodolfo Iturbe Sánchez; mamá, Dolores Carrillo de Iturbe, el hijo de once años, Rodolfito, y la hija menor, de tres años de edad, Anastasia. Cuatro nombres que forman la dulce geometría de un hogar.

Don Rodolfo trabaja en una empresa que funge como gerente general; su situación económica está totalmente resuelta y tiene magníficas relaciones con el Gobierno, además es amigo predilecto de la sociedad diplomática. Cuando regresa del trabajo, y en los días de descanso, prefiere aislarse en la bodega de su casa llena de nichos y pequeños cajones donde con suma dedicación se entrega a su afición de coleccionista.

Dolores no se puede quejar, es realmente una esposa afortunada, siempre fiel a su marido, dedicada por entero a los cuidados de la casa y a la educación de sus hijos. ¡Madre amorosa y mujer inigualable! Dolores tiene en su alcoba una escultura grecorromana, hermoso efebo de mármol traído secretamente de un templo de Roma.

Rodolfito, alumno avanzado, tenaz, vive preocupado por la ciencia y deseoso por llegar a ser un hombre de bien. Su cuarto es un laboratorio en forma, lleno de recipientes, tubos y probetas de ensayo, sustancias químicas, termógenos, microscopios.

Anastasia, tierna y delgadita, pasa largas horas en el jardín, agarrada de las rejas y mirando pasar a los perritos callejeros.

A causa de este dulce amor a tan agradables animales, tiene su cuarto decorado con perros.

Una familia feliz, una familia normal.

Anastasia y su cuarto decorado con perritos.

Rodolfito y su laboratorio.

Dolores y su escultura grecorromana.

Don Rodolfo y su bodega llena de nichos y pequeños cajones.

Anastasia y sus perritos. Cuando la niña ve pasar un perro, pide a Lázaro, el joven sirviente, que de inmediato lo atrape. Un trocito de carne, unas silbaditas y unas cuantas caricias son suficientes para conmover los sentimientos del animal y atraerlo. Anastasia lo lleva a su cuarto, lo mira detenidamente absorbiéndole la vida con sus ojos. El perro aúlla sin poder separar la vista de la mirada de ella. Agoniza, muere y después de algunas horas queda momificado. Expresiones de angustias disecadas, hocicos abiertos, ojos vidriosos y, lo único que resta vivo, son los gemidos. El cuarto de Anastasia es un cementerio canino donde la quietud de los animales momificados se matiza con esos tristísimos lamentos, caja de aullidos, tablero decorado con perros. ¡Anastasia y sus perritos!

Rodolfito y su laboratorio. El niño piensa con crítica y rechazo en esos cientos de fetos abortados que encontraron su final bajo la decisión infrahumana de mujeres cómodas e irresponsables. Nacer o ser abortado, la vida o la muerte prematura, dilema en el que sucumben los indefensos. Sin control, a pesar de la ley, las entrañas son vaciadas una y repetidas veces, seminiños al drenaje o a la basura, alimentos para las bestias del zoológico, Rodolfito reflexiona con dolor en todo esto. Y... ¿si pudiera luchar contra ello? Ha tenido el empeño de burlar a las madres desnaturalizadas y conseguir que aquellos fetos arrancados y botados recobren la vida. Esta es su tarea, acarrear fetos a su cuarto, meterlos en recipientes ovoides de cristal perfectamente sellados, unir a cada cordón umbilical un delgado tubo de vidrio, a su vez conectado a diferentes probetas. A través de este conducto, Rodolfito le pasa emociones, sentimientos, síntomas; todo esto ordenado por computadora. Y los fetos reaccionan, lloran o gimen, juegan girando, danzan. Hay algunos que hasta balbucean poemas. Viven, y sin estar en su totalidad físicamente formados, alcanzan diferentes edades. Incluso, tres de ellos sienten como ancianos. ¡Rodolfito y su laboratorio!

Dolores cuida a sus hijos y la imagen de su matrimonio. En las recepciones luce sobria y brillante. Todos la admiran. A pesar de ser muy amable, mantiene cierta distancia con los amigos de su esposo por temor de que alguno de ellos se atreva a seducirla.

Con nunca mirarlos a los ojos les hace saber que ella es incapaz de cometer con ellos una infidelidad con su marido. Cuando Rodolfo se aísla en su bodega, Dolores se encierra en su alcoba. Fiel a su esposo, desahoga su fiebre sexual con la escultura. La carne y la piedra. La sangre caliente desbordada en una masturbación feroz y el mármol frío. El frenesí voluptuoso y lo estático. Las células vivas y el mineral muerto. El cuarto de Dolores un grito orgasmal. ¡Dolores y su escultura grecorromana!

Don Rodolfo, quien se siente desplazado, desheredado, se refugia en su bodega. Ahí, con nostálgica admiración, recuerda las grandes historias de sus antepasados. El descendiente de una familia de locos. Siempre ha tenido la convicción de que la locura es un estado superior. Su mayor placer es leer y releer todos los expedientes clínicos de sus familiares. Se fascina con las manías. Su tía Rosenda se pasaba las horas sacando toda la ropa del armario para empacarla en un gran baúl. Soñaba con hacer un viaje. Una vez acomodadas las prendas las desempacaba y las volvía a ordenar en el armario para luego volverlas a empacar. Hablaba de un tren subterráneo que jamás lograba abordar porque se pasaba de largo, pero la tía no cesaba en su doloroso hábito, estimulada siempre por la esperanza de conseguir un día su sueño de viandante... Su tío Leonardo enloqueció dentro de un monasterio donde, según él, durante las noches, los monjes enamorados e incontinentes perseguían a un cristo de madera desclavado, móvil de las pasiones ahí desatadas. El tío Leonardo estaba paralítico y tal persecución le provocaba terribles excesos de ira. Su desesperación era por no poder levantarse y detener ese desenfrenado acoso a lívido y mansalva. Impotente, Leonardo se sumía en un estado maniaco melancólico... Amada, su hermana más pequeña, afirmaba haber sido invitada por el guardián del zoológico a comer una sopa de serpientes. Desde que tuvo esta creencia tomó actitudes reptantes, silbaba y se enredaba en las patas de los muebles. A su padre le dolía verla arrastrase y logró ponerla de pie al convencerla de que las serpientes que había comido eran cobras... Don Rodolfo lee todos esos testimonios con fascinación, lamentándose siempre del hecho de ser un hombre cuerdo, normal. Por esta afición a la locura se ha dedicado a visitar todos los hospitales psiquiátricos y hospicios. Con un poder insólito extrae la mentalidad de los locos y la archiva en su bodega. En cada cajoncito tiene el efluvio psicopatológico de un orate; cientos de emanaciones encajadas y perfectamente clasificadas. Cuando Don Rodolfo abre uno a uno todos los compartimientos, de ahí salen carcajadas, llantos, palabras incoherentes, babas, estremecimientos demenciales. Y este mundo esquizofrénico desquiciante aflora, exaltándolo en el paroxismo de la envidia. Sentado al centro de cuarto desde su viejo sillón de cuero, con demencia ve danzar esos trastornos alrededor de su sano y mediocre cerebro. La bodega de Don Rodolfo, un almacén de locura. ¡Don Rodolfo y su bodega!

Una familia feliz, una familia normal, como todas.

Yemasanta

La esterilidad de Isabel obsesionó por muchos años a todos sus familiares y amigos dedicados a proporcionarle todo tipo de curaciones que pudieran convertirla en mujer fértil.

Durante meses tomó té de gobernadora, planta que según la experiencia del yerbero se recomienda como un remedio infalible. La llevaron en la peregrinación que se realiza durante la Semana Mayor a ver al Cristo Negro aparecido en el barranco de la Sierra Madre. Han prendido velas y óleos traídos del Vaticano y le han colgado todo tipo de talismanes y amuletos. Esfuerzos vanos.

La vieja Ceferina, curandera en un pueblo cercano a la costa, fue quien hizo la brujería del huevo. Primero prendió unas varas con olor a resina, luego miró atenta a los ojos a Isabel y escudriñó su iris. "Serás estéril por toda la vida –le dijo– porque Dios así lo quiere; a no ser que contravengas sus deseos divinos ateniéndote a las consecuencias". Isabel optó por lo segundo.

La bruja derritió una vela en su vientre y le exigió soportara las quemaduras. Lanzó al aire largas oraciones y conjuros, tomó la cera, la amasó y con ella hizo un muñeco al que embadurnó con sangre y saliva de la mujer yerma. A la vista de Isabel, lo encerró en un cascarón de huevo cuyas resquebrajaduras fueron reparadas con tal perfección que nadie podría advertir que alguna vez estuvo quebrado. Le dio este fetiche propiciatorio junto con una lista de recomendaciones.

Durante nueve días Isabel madrugó para exponer el huevo a los primeros rayos solares y por las noches se lo colocaba en el vientre previamente frotado con éter y aceite de tortuga.

Día con día el huevo fue adquiriendo mayor peso y un color azuloso. Pasadas nueve semanas sintió en sus entrañas la presencia del hijo tan anhelado. Para cumplir con el proceso del hechizo, tal como se lo ordenó la curandera, rompió el huevo: el cascarón estaba vacío.

Isabel dio a conocer los efectos producidos por la magia, lo que enfureció al cura Carmelo en su rechazo a todo supuesto milagro acontecido fuera de las creencias de la iglesia.

"¿Será posible que la brujería dé buenos resultados?", se preguntaban todos. Lo cierto es que Isabel, ya cuarentona, dio a luz una niña a la que el cura le negó el bautismo y a la que el pueblo convino en nombrar Yemasanta.

La niña tardía tuvo la desgracia de ser sobreprotegida tanto por Isabel como por Agustín, su padre. Los esmerados cuidados la privaron de inmunizarse como sucede con los otros niños, que son fuertes gracias al andar descalzos, con las ropas empapadas por jugar en las acequias donde comen frutos verdes, lombrices y lodos. Mientras aquellos crecieron al viento por los cuatro costados, ella nunca salió de la muralla protectora de su hogar.

Yemasanta siempre fue enfermiza y el doctor Tiberio tuvo que frecuentar diariamente su casa para curarla de esto o de aquello y de las constantes recaídas que la aquejaron. Consciente de que ella necesitaba contacto con otros niños, naturalidad y distracción, indujo a los padres a que le permitieran tener una amiga, y para ello, propuso a Inés, su hija más pequeña. La amistad entre ellas no fue fácil pues Yemasanta no estaba dotada para jugar a las carreras, la reata, los aros o trepar a los árboles. Inés, al principio, se veía obligada a pasar largas horas de aburrimiento.

Al fondo, en el ala izquierda del traspatio, se encontraba la abandonada panadería, un amplio cuarto rectangular, construido en piedra, con bóveda catalana y con tres grandes hornos de adobe donde tiempos atrás los abuelos ejercieron su oficio. La diversión de las niñas era meterse en uno de los hornos y permanecer ahí, acurrucadas en esa oscuridad compitiendo a ver quién de las dos aguantaba más tiempo sin moverse o quién tenía mejor oído. Al salir enumeraban todos los ruidos escuchados durante el encierro. Inés mencionaba la hojarasca arrastrada por la corrientes de aire, las gotas que caían del techo, las andanzas de los ratones, ladridos de perros, cantos de pájaros y voces lejanas. En cambio Yemasanta se refería a sonoridades apenas perceptibles: los latidos del corazón, el viaje del aire al interior de los pulmones, la caída de la polilla, la vibración de las telarañas, el rumor del moho, el melancólico sonido del crecimiento de la oruga.

Otro de sus juegos preferidos era descubrir formas en las manchas de las paredes, en las nubes, en los musgos y hasta en la nata de la leche. Veía objetos, rostros, letras, números, animales, solo que Yemasanta interpretaba todas estas visiones como hechos por acontecer: una mujer cuyo nombre comienza con M en vano va a parir trillizos; regresará al pueblo un hijo pródigo con una carga a cuestas; alguien por riñas y ofensas morirá como un caballo desbocado; tras la sed nacerán nuevas aguas; perderá sus hojas el báculo del poder.

Y tal como lo dijo sucedieron las cosas. María parió trillizos pero dos de ellos nacieron muertos; después de 18 años de ausencia, Benjamín regresó al pueblo con una esposa inválida y seis hijos; Martino fue azotado por su padrastro en la plaza pública para que todos se enteraran que se había cagado en la cama, y el niño, presa de vergüenza, salió corriendo y murió desbarrancado; la gente anduvo desesperada por la sequía de los pozos hasta que brotó un manantial en la huerta de frambuesas; Anselmo, el presidente municipal, renunció a su cargo por sentirse demasiado viejo y padecer una ceguera irremediable.

Inés le contó a su padre todas estas coincidencias; él las comentó con Isabel y con toda su clientela; la familia se enteró y a su vez dieron a conocer a los vecinos los poderes sobrenaturales de Yemasanta. En cuestión de horas todo el pueblo hablaba del asunto. Al principio con timidez, después con descaro, contra las amonestaciones y advertencias del cura Carmelo, la gente comenzó a visitar a Yemasanta para que le pronosticara su fututo. Dedicada a sus vaticinios nunca volvió a jugar con Inés pero como muestra de su amistad cariñosa le confesó que había recibido la orden de provocar el castigo de su madre por haberse opuesto a los mandatos de Dios. Para ello tenía que morir. Le dijo que no le acongojaba el hecho de que su vida fuera corta porque ya sentía cansancio y hasta repugnancia por la gente. Y como quizá la muerte pudiera tener otras perspectivas, le prometió a Inés que su espíritu vendría a contarle sobre los misterios del más allá.

El siete de septiembre de 1942 murió Yemasanta. El cura Carmelo se negó a darle los santos óleos e incluso impidió que la llevaran al camposanto. Sus restos los enterraron en la huerta de las frambuesas, junto al manantial, lugar que dieron por maldito. Solo Inés durante algún tiempo tuvo el hábito de visitar su tumba, siempre curiosa por la revelación prometida. En vano esperó la presencia de su espíritu, jamás hubo el resplandor que suponen tener las apariciones, ni voz, ni eco venido de ultratumba, ni vientos helados. Simplemente nada. Por algo, pensaba, Dios ha impedido que los vivos conozcan lo que es la muerte. Con tal decepción Inés supo que la gente al morir se vuelve polvo y que jamás los espíritus retornan. Eso pensó entonces.

Con la pérdida de su hija, Isabel adquirió la manía de

romper huevos y encerrar en su interior fotografías de Yemasanta o muñequitos de cera. En principio los fue colocando en un altar que ella misma improvisó con una mesa y telas negras. Llenó un guardasantos de cristal con los huevos perfectamente reconstruidos, y al cabo de los meses y los años, por doquier había pomos atiborrados de ellos e invadió las repisas, canastos y ollas hasta que su casa quedó hecha un depósito de cascarones. Todos la tomaron por loca y le retiraron su amistad.

La gente olvidó la magia del huevo y la prodigiosa videncia de Yemasanta. El cura Carmelo recuperó a sus fieles. Agustín vendió su casa y se llevó a Isabel a otra ciudad con el fin de salvarla de las críticas y atenderla de su locura.

Ahora, transcurridos siete meses, en la abandonada casa de Yemasanta se escucha un crujir de lumbre y una voz que maldice y anuncia desgracias al pueblo que comienza a diezmarse por sucesos extraños. El manantial es un hervidero de sanguijuelas y en las acequias se producen lotos venenosos y sapos que escupen sangre. Las gallinas ponen huevos hueros que estallan y esparcen una materia pútrida y un éter letal. Sin embargo todos fingen ignorar los sucesos nefastos, han dejado de creer en el poder de la brujería y hasta niegan la existencia de Satanás. Tratan de olvidarse de Yemasanta aunque todos fundamentan su vida en la idea de que nunca hay que contravenir la voluntad de Dios y domados por el miedo, de mañana, tarde y noche asisten a la iglesia para rezar y cantar. En sus hogares y en el trabajo son fieles a su credo y dan cristiana sepultura a los que van muriendo a causa de la peste. El pueblo sucumbe bajo un castigo sobrenatural.

Hipocausto

Dicen que la arquitectura moldea al amor, le da estilo, tipo y carácter. Valga la pena cualquiera que sea la trayectoria de un amor. El de Sabina y Vito floreció a temprana edad gracias al trozo urbanístico de una ciudad medieval: La Rojiza. Es laberíntica, escalonada, con recovecos y escondrijos subterráneos por donde los enamorados bien pueden darse a las caricias sin ser advertidos, pero Vito y Sabina prefirieron enlazarse en los altos, en las azoteas bañadas de luna y sol. Tan estrechas son las callejas que se pueden abrir las ventanas y saludar de mano al vecino de enfrente. De ventana a ventana, niño y niña se vieron por primera vez y se tomaron de las manos, se olieron los corazones, se saborearon los latidos y suspiraron el apego sentido uno por el otro. Vito y Sabina se enamoraron desde la infancia.

Mundo maravilloso es el de los altos de La Rojiza. Todos los edificios por sus cuatro costados, de piso en piso y azoteas estaban comunicados por puentes de madera y hay escalerillas que trepan por doquier. La vecindad, llena de vasos comunicantes, da a la gente esa apariencia de ratas movilizándose por los conductos. Hay hervidero de gente abajo y arriba, por las calles y por los terrados y miradores. Sabina y Vito se corretean, se esconden uno del otro, se buscan y se encuentran en los elevados pasadizos, se divierten viendo cómo se mojan los transeúntes de abajo con el agua que gotea de las ropas recién lavadas y tendidas. En palomas hechas de papel, escriben sus deseos y las lanzan al vuelo desde las alturas.

Al borde de cumplir él los 15 años, ella de 13, Vito y Sabina descubren los tactos del amor. De tarde han jugado a rodar sobre pequeña cúpula donde se yergue una cruz de cantera; ya de noche, han encendido con caricias. Desnudos se entrelazan y sellan la unión carnal a la que han de habituarse.

Van pasando los días y su entrelazamiento es cotidiano. Sabina y Vito han hecho de la cúpula un nido, la morada aislada y abierta a los cuatro vientos donde el amor ejerce sus rutinas. Una y otra vez pasan del clímax al languidecimiento, se tensan y se relajan, y en vigilia cuidan de volver a sus habitaciones antes de que los familiares despierten. Las caricias son breves cuando las noches son cortas y prolongadas cuando el alba llega con tardanza. Así, nadie ha advertido que llevan meses de no dormir en sus camas.

Hoy, envueltos en una sábana que han tomado del tendedero, abandonados en el abrazo y el sueño, se han quedado dormidos, el amanecer los sorprende. Se escuchan las lejanas voces de los pregoneros, Altagracia, la vecina mojigata que envejeció virgen, intocada, al verlos desnudos lanza un grito de asco y denuncia. Los familiares acuden a confirmar los hechos, recriminan lo que califican de pecado. Vito y Sabina son arrancados del sueño a regaños y empellones. Son apartados y sometidos al castigo del amor prohibido.

El vientre de Sabina crece y desata crudos reproches. La acongojada enamorada pierde hilos de cabello arrancados por Mariana, su madre. Sus hermanos la escupen y la patean. La amenaza de una boca más que mantener induce a la abuela a provocar el aborto. Brebajes, golpes, presiones en el vientre, agujas de tejer que penetran en la matriz, punzan, perforan, desangran. El feto es expulsado y se le ve ahí tirado junto a un suéter inconcluso. Sabina tiene fiebre y pesadillas: diablos rojizos y verdosos raptan mujeres; los toros braman y sueltan una baba sanguinolenta; la luna encierra un feto. Sabina sueña que no logra tocar el fondo de un pozo. Pesadillas.

Sabina no duerme más en su cuarto, le han tendido

un camastro en el fondo de la cocina donde no hay ventanas. Se ha ganado el rincón del cochambre. Acusado de incontinente y peligroso, Vito deambula por las azoteas. Tira la ropa de los tendederos. Insulta al sol, escupe a los transeúntes, se masturba, contempla la descomposición de un gato muerto en el tejado.

Al igual que otros jóvenes que cayeron en relaciones extramaritales, Sabina y Vito se las ingenian para emprender la huida. La pareja abandona sus casas con la esperanza de no llevarse ningún recuerdo en la sangre. Se refugian en la Brunella donde Marco, el viejo amigo de Vito, los hospeda en una bodega en desuso de la planta procesadora de aceite de olivo. Así encuentran hogar y trabajo en esta campiña, olivar maravilloso con el mar al pie del mínimo caserío. El azul thalo marítimo y el blancor de las nubes y espumas resultan un golpe a la vista sosegada con la vegetación verdegris de los olivares. En la Brunella se delinean una serie de vestigios del Imperio Romano, tramos de acueducto, columnas esparcidas y las albercas de los antiguos baños en los que hoy quedan depositadas las aguas de lluvia. Son estos estanques invadidos por lodos, lamas y hierbajos los que dan el matiz de la melancolía.

Varias de las casas han sido fincadas aprovechando

los antiguos cimientos romanos, tal es el caso de la bodega donde hoy habitan Vito y Sabina. El espacio es de cinco metros cuadrados con piso adoquinado, paredes de laja encimadas sin mortero, un techado incongruente de láminas de asbesto y en el basamento, el hipocausto. Tiene una angosta puerta y una mísera luz envuelta en gajos de aire, sobre una plancha de piedra está el colchón solucionado con un relleno de trapos viejos, funcional tálamo para el amor. Solo si se abre la puerta, un rectángulo de paisaje hace su intento de entrar, por demás la habitación se presta para lo íntimo y lo secreto. Así lo entienden Vito y Sabina al reiniciar su pasión truncada por la moralina. Están aquí para desplegar los deseos con el aliento de la propia fuerza, donde no caben más ojos que los de ellos, sin testigos ni juez. Una y dos veces se arrebatan, diez y veinte veces se lamen, se beben, se devoran con la complacencia de los rumiantes. El amor. En todo ello está presente el estigma de la culpa, el dolor por el saqueo del fruto abortado, la esterilidad en consecuencia.

Cien y quinientas veces, Vito y Sabina entretejen sus lazos amorosos, pero el amor se ha convertido en una glándula que secreta rencor. Con la maternidad anulada, lo femenino queda abreviado y lo masculino se derrama a un vacío horadado en el subconsciente. Algo falta, el fruto del amor, los ruidosos niños, la trascendencia. Infructuosos, él y ella van a la playa sin niño que construya castillos en la arena. Él y ella corren en los olivares sin niño que los sonorice con sus risas. Él y ella nadan en los estanques sin que un hijo propio aprenda a flotar en el agua. Aunque bien se sabe que los hijos son una monserga, algo falta. A veces dan ganas de morirse.

Quinientas y mil veces Vito y Sabina cohabitan por rutina y con desgano. El amor cada vez sabe menos, quizá porque ella nunca le dio un hijo, quizá por el cansancio del trabajo o por ese olor agrio de las aceitunas y del aceite en proceso que sobrepasó al encanto de los aromas de los genitales excitados. Se deprimen cuando hacen el amor. Se detestan. Se besan como quienes gustan de comer mierda. Se socavan. Vito comienza sus andanzas y se relaciona con otras mujeres, las preña, las abandona y jamás siente la curiosidad de conocer los ojos de sus hijos. Sabina, apática, lo espera porque él siempre regresa a la querencia, a la costumbre, al tedio hartamente conocido. Tienen flojera hasta de morirse.

La vivienda es íntima y ellos, inadvertidos, pasan del amor al desamor y de este a juntarse como lapas. Se abrazan de frente unidos por la boca, se pegan por los costados, se adhieren espalda con espalda. A veces pasan largos días entrelazados, urdimbrados, hechos nudo ciego. Se atan y se desatan con el mismo aburrimiento con el que han envejecido. Llegan a pensar que la desdicha, cuando nadie la nota, es un privilegio, y la ruina emocional cunde en ellos como lo hace el salitre en los muros.

De nada sirve enumerar los ánimos perdidos. Los recuerdos de los días felices son ya una bandera a media asta. Todo lo que hacen parece ser un dejarse morir.

Dentro de su vivienda cambiaron los paisajes interiores. Para halarse cortaron todas las flores de muchas primaveras. Se bañaron bajo briznas, lloviznas y chubascos, se iluminaron con los relámpagos, se intercambiaron salivas, los microbios y los venenos, se amaron como escarabajos en la hojarasca, en la sequía se rasparon la piel con lenguas ásperas, se volvieron hielo, se derritieron, nadaron como medusas en el mar de sus propias lágrimas, se talaron uno al otro por ser árboles ya caducos.

Dejarse morir no basta porque la muerte no acontece cuando la indolencia reina. Así que Sabina para ganarse el fuego, con tenacidad de hormiga acarrea leña al hipocausto y lo enciende. La vivienda se calienta y en este horno incontrolable, Vito y Sabina se abrazan por última vez. La lumbre brota del subsuelo por las grietas del adoquín deteriorado, crece e invade. Dos figuras incandescentes flotan, danzan y estallan esparciendo chispas de alegría. Los amantes han recobrado su fuego original. Una multitud, que ignora la vocación última de estos viejos consortes conjugados hasta el agotamiento, intenta en vano apagar el incendio.

Reencuentros

Lucas besa a su esposa para despedirse. La boca le sabe a tierra. Un temor nunca antes sentido le recorre el cuerpo. Podía ser la premonición de una muerte, ¿la de ella, la de él o la de alguna persona cercana? Tontería –piensa– ayer se tomó un par de cervezas y de seguro a eso se debe el mal sabor de boca. El alcohol siempre le ha dejado un regusto a cobre. ¿Qué diferencia podría haber entre el cobre y la tierra?

Confiado en su destreza, Lucas se dispone a cruzar el país en coche. Este es su trabajo, llevar autos extranjeros a las fronteras para poner al día sus permisos de tenencia y circulación. Cada carretera ofrece sus propios peligros. Consciente de ello, Lucas se esmera en avanzar con suma cautela, va atento a las señales de tránsito y en cada gasolinera se detiene para supervisar meticulosamente el auto. Cosas de rutina que le ha dado el oficio de tantos años de ir y venir por todas las autopistas del país. El trabajo es agotador por las tensiones que implica manejar vehículos ajenos, pero lo llena de gozo verse rodeado de paisajes que cambian según sean las distancias recorridas.

Lucas ha tomado la vieja carretera que bordea esta zona lacustre. Maneja despacio para gozar mejor la belleza de los lagos. Algo flota cerca de la orilla. Entre los reflejos de las aguas Lucas cree ver a un toro muerto. Por inflado seguramente debe tener varios días flotando ahí. Conforme se aproxima, la visión se aclara. Se trata de un tronco enorme y retorcido. ¡Vaya susto! Vuelve a sentir ese sabor a tierra en la boca y el sudor frío le perla la frente.

Lleva cuatro horas manejando. Asciende la sierra elevada y boscosa de Mil Cumbres donde las neblinas retan al más diestro de los conductores. La visibilidad es casi nula, la niebla es tan espesa que parece leche. De pronto recuerda la voz de Rosauro, un indio viejo, vendedor y cuentero: "Las neblinas son fantasmas, espíritus de los malos, merodean, suben, bajan, se esparcen, buscan a quién provocarle la muerte". Lucas suelta la carcajada, no obstante, el miedo le eriza la piel como cuando las moscas a los caballos les producen estremecimientos. Al amanecer logra serenarse, orgulloso de haber retado tantas curvas cerradas y sinuosas. Nunca olvidará esa sensación de superioridad al ver los valles bajo sus pies y las nubes hundidas al fondo de los precipicios. Se experimenta otra estatura, otra dimensión.

Después cruza la capital, ciudad congestionada que lo deprime. Alterado, sale de ella y pasa por las mortecinas zonas industriales, luego por los campos resecos, cursado de magueyes y esbeltos cactus, hasta que otra vez el paisaje se llena de confieras conforme asciende por la laberíntica sierra. De ahí al contraste, al clima tropical adyacente al golfo. Arbustos cargados de café, tamarindos, platanales, ceibas, campos rojos de jamaica. En los corredores frontales de las viviendas cunden las enredaderas de llamaradas y los blancos floripondios acampanados. Dicen que el té de esas flores produce fiebres alucinantes. Quienes lo han bebido aseguran la existencia del infierno, de los diablos y de horripilantes seres híbridos que se hacen visibles con el brebaje. Por las expresiones de horror en sus gestos, no hay duda de que ven monstruosidades. Lucas estuvo presente cuando Doña Juana, incrédula, hizo la prueba. La vio arrastrarse por el patio, arañar las paredes, suplicar ayuda y sus muecas de terror fueron tales que sus ojos estuvieron a punto de saltar fuera de las órbitas y se le desgarraron las comisuras de los labios por sus descomunales gritos. A Lucas, con solo recordarlo se le sube la sangre a la cabeza. Está empapado de sudor, pero no es por el clima caliente sino a causa del miedo. Claro, un miedo injustificable pues basta con nunca tomar té de floripondio para estar a salvo de esa experiencia. Las flores son bellas, eso es lo que cuentan, ver esa delicia de blancura en contraste con los naranjas de las llamaradas. La belleza como sedante.

¿Por qué en este viaje ha venido sintiendo miedo? Vamos, como si fuera la primera vez que viajara solo, o como si no tuviera suficiente control del volante para evitar los peligros. Pero sintió miedo desde que besó a su mujer y la boca le supo a tierra.

Lleva manejando doce horas. Intenta en vano tomar un descanso, le es imposible conciliar el sueño. Un café bien cargado le basta para continuar cuesta arriba y luego descender por el espinazo de la cordillera. Quien nunca ha pasado por ahí no podrá imaginar la excitación que produce el ir por una terracería al filo del precipicio, tan angosta que solo da cabida a un carro. Ahora que viene otro coche en sentido contrario, Lucas se echa en reversa hasta hallar un leve ensanchamiento que le permite dar el paso. Adelante se encuentra con el mismo problema pero ahora es la otra camioneta la que retrocede. El ensanchamiento es mínimo y Lucas avanza despaciosamente por el borde y apenas la libra. Toma de su espejo una estampa del Cristo de los Abismos y lee la oración.

Nunca antes necesitó leerla, le bastaba con mirarla y encomendase, pero el sudor de las manos y cierta temblorina en las piernas lo obliga a rezar.

Más peligroso aún es el puente colgante. Es de un solo sentido y tiene doscientos metros de longitud. Muchos han sido los vehículos caídos al desfiladero. Las carrocerías que se miran al fondo son monumentos al pánico. Lucas se estaciona y mientras espera su turno para pasar, bebe un jugo de lima. En cada lado del puente hay unos puestos en los que se venden refrescos, jugos, cigarros, talismanes, escapularios y unas carteras votivas con la oración y la imagen del Cristo de los Abismos. Lucas compra una docena de estas para su esposa quien las revende en la cervecería donde trabaja, pasan dos carros y del camión en turno se bajan los pasajeros, prefieren mandar al chofer solo por delante y cruzan a pie el puente. Saben que para evitar el vértigo nunca deben mirar hacia abajo y avanzan con tal lentitud que cualquiera los confundiría con un éxodo de ciegos. Ahora Lucas cruza, con el alma en un hilo, los nervios bajo control, la muerte amenaza en los rechinidos de los maderos y en el aire que se arremolina en el vacío. Él ha cruzado veintisiete veces este puente e incluso se ha detenido a la mitad de él y ha bajado del coche para contemplar el paisaje profundo. Ha sentido el balanceo de ese magnífico balcón suspendido en el espacio y ha gritado nombres para jugar con el eco de nueve resonancias. Pero ahora, presa de funesta corazonada, no se atrevería a hacer lo mismo. Solo de imaginarse ahí empinado, visualiza su precipitación. Sobrecogido con la imagen, continúa manejando tenso y lento. Vence el peligro, llega al término del puente agotado pero satisfecho con la hazaña. En el puesto pide un "tripas–corazón", aguardiente con ruda. Lo bebe de un solo trago y luego se empina un "suspiro", agua mineral con miel y una pizca de sal. Como siempre que pasa esta zona ha triunfado.

Aún tiene que afrontar unos cuantos kilómetros de curvas cerradas en cuesta abajo. El temor todavía está presente y desconoce la razón de ello. Ah, qué bueno hubiera sido que su hermano lo acompañara en este viaje pero se unió a unos amigos en busca de aventura, por cierto, extraña. Se fue a una cueva de la que, según dice una leyenda, por estas fechas arroja un río de sangre. Es un fenómeno inexplicable y su hermano quiso ir a verlo con sus propios ojos. A Lucas le pareció una reverenda estupidez que alguien pueda creer en esas cosas pero ahora la sola idea le causa repulsión y espanto. Se imagina ese río sanguinolento, espeso, caliente. Para quitarse la imagen de la mente, fuma y canta.

Ahora únicamente le quedan por delante dos horas y

media de carretera recta. Durante mucho tiempo él es el único que se desplaza por ese camino, solitario, rodeado de monótono paisaje, lo invade la ocurrencia: ¿acaso todos han desaparecido y solo él habita en el globo terráqueo? Aferrado al volante, con la mirada fija y los reflejos bien dispuestos, Lucas acelera y se desahoga en el reto de la velocidad. Fuertes vientos calientes y silbantes menequean el carro y lo obligan a cerrar las ventanas. Acelera más para vencer esos resoplidos de la naturaleza en ira. El pavimento hierve bajo el sol y en ocasiones se ven espejismos de agua.

De pronto, al borde de la carretera, dos viejos, hombre y mujer, le hacen señas pidiendo un aventón. Apenas los ve como si fueran dos apariciones absurdas. Minutos después reflexiona. ¿Alguna emergencia o acaso intentan retornar a las aventuras perdidas de su lejana juventud? Debió haberse detenido y darles el servicio. Qué mejor compañía que unos ancianos. Ni modo, la velocidad no se lo permitió.

Recorridos tres kilómetros más, otra vez encuentra a los viejos haciendo las mismas señas; disminuye la velocidad pero no se detiene. Curiosos ancianos, visten elegantes a la manera antigua. Él lleva polainas y sombrero, ella luce un vestido de satín y encajes. Cuánto calor deben sentir metidos en esas ropas negras bajo pleno sol y con estos vientos calcinantes.

¿Vientos? Cada vez son más fuertes. ¿Cómo es que el viejo no ha perdido el sombrero y a ella ni siquiera se le ondula el vestido? Y... ¿cómo es que los encontró adelante? ¿Quién les dio un aventón y los botó de nuevo en carretera? ¿Acaso son indeseables, testarudos, aburridos o mala compañía? Lo cierto es que ningún carro lo ha rebasado. ¿Entonces...? ¡Cosa extraña!

Y otra vez, adelante, los reencuentra de nuevo, con las mismas señas e idéntica apariencia. Y así de tramo en tramo reaparecen como una película que corre en un rollo circular, infinito y repetitivo. La recta parece no tener fin y no hay ningún entronque para huir de esas apariciones intermitentes y constantes. Los vientos no menguan y todo presagia muerte.

Lucas sabe que el miedo es mortal, y por supervivencia, hace esfuerzos por controlarlo. Pone el concierto de Brandemburgo de Bach. Nada mejor para tranquilizarse que ese segundo movimiento Affettuoso. El espíritu se llena de delicadezas, la voluntad recobra vigor y se sobrepone al miedo, la más traidora de todas las emociones. Avanza un kilómetro y otro y muchos más y conforme Lucas se adueña de sí mismo los viejos reaparecen con menor frecuencia hasta que son borrados a fuerza de valentía y entereza. Lucas respira hondo, afloja los músculos, maneja a un ritmo normal. Se enorgullece de haber podido controlar sus nervios. A lo lejos quedaron las imágenes provocadas por el miedo. El viento ha cesado. Con la vista al frente, Lucas se recrea observando las caprichosas formas de las ceibas. Al mirar por el retrovisor descubre que los viejos vienen sentados en su coche, en el asiento de atrás.

Le sonríen complacientes.

Los vegetantes

Durante largo tiempo mi madre se ha dedicado al cultivo de plantas. Tenía yo tres meses de haber sido concebido cuando mi padre murió. A causa de la viudez, su dolor y soledad perdieron paulatinamente ese sabor humano, para transmutarse a una languidez vegetal. Pasaba casi todas las horas de su vida en aquel invernadero. Me cuentan que durante su embarazo todas las noches entraba ahí en tristes y misteriosos paseos nocturnos.

Don Jesús, el criado que cuidó durante años esa casa heredada de mis abuelos maternos, decidió dejar sus servicios cuando notó que mi madre estaba perdiendo la razón. Varias veces la escuchó decir: "Nacerá una niña y la llamaré Verónica, la encerraré en el invernadero, dormirá sobre la tierra, la regaré. Se volverá planta, una verónica de verdad. No vale la pena ser humano".

Como nací varón, ella cortó todas las verónicas que

tenía, las puso a secar al sol y después les prendió fuego. Me puso como nombre Aciano Badián. Aciano es el nombre de unas vulgares florecillas y Badián el de un árbol magnoláceo de Oriente.

Mientras mi madre extasiaba su desdicha en la inflorescencia, quedé bajo el cuidado de una anciana. Marcelina era flaquita, pequeña. Todos esos astros de su mundo interior hacía tiempo ya que habían perdido su luz. Baldía, nada de recuerdos, replegada siempre en las arrugas de su edad envejecida. La única sustancia que parecía recorrerle las venas era la última ternura, la pálida y cansada ternura que sentía por mí. Un Cristo de madera le empezó a hacer señas. Sus muertos salían por debajo de su cama y le daban consejos para que no se asustara al final de su existencia. Estaba próxima a morir.

Una tarde, Marcelina se despidió de mi madre. Quería pasar los últimos días de su vida en su pueblo. La vi salir por el portón cubierta con su negro chal. Nada me dijo, ni siquiera volvió la cabeza para verme.

Parecía ser de ceniza, de silencio, un sólido y oscuro fantasma. Se fue para morir. Yo tenía nueve años.

Marcelina me abandonó a merced de la locura de mi madre.

Los días que sucedieron fueron de hambre y descuido.

Me volví miedoso, llegué a orinarme por las noches. Mis sábanas y ropa sucia olían a desamparo. La casa se llenó de polvo, basura, de elásticas y geométricas telarañas. Era yo un pequeño habitante en un mundo inhabitable, rodeado de esféricas tristezas, melancolías entumidas. Siempre vagando, sintiéndome perdido en la gran extensión del desaliento. Enflaquecía, los ojos se me agrandaban rodeados de sombra, mis largos dedos buscaban entre muebles y rincones alguna caricia arrumbada.

Mi madre se hundía cada vez más en esa locura vegetal. Dios bendecía su infierno inventado, mina de delirios, vicios, flores alucinadas, clorofilas que golpeteaban sus sentidos. Todo su mundo se convertía en vergel: vegetales eran ahí las nubes atrapadas; pétalos la lluvia; vegetal el fuego, roja enredadera voluptuosa. Estrellas enyerbadas descendían condenándose con los verdes apagados.

Tres veces entré para verla. Para ella fui como un vegetalillo, tal vez la mala hierba que entorpece la inflorescencia y por tal razón me retiraba de su santuario. Dañado por su desprecio, la espiaba a través de pequeñas rendijas, mirando ese mundo crecer, reproducirse. Las plantas se desarrollaban sin mesura y el espacio se aminoraba. Apenas visible la figura de mi madre: tenía ya los cabellos verdes, y el rostro y las manos blancos como las magnolias. Olía a extraños perfumes. Savia venenosa su saliva. Algo de morbo había en ella cuando intentaba descubrir los órganos reproductores de los criptógamos. Libidinoso su tacto al acariciar los helechos. Sus senos tenían semejanza con los hongos lactarios, y su vientre con los oronja. Se tiraba sobre la tierra llena de orobancáceas, y sobre estas plantas parásitas parecía encontrar simbólicos placeres. Los licopodios eran sus amantes. Qué lejos estaba su mente de recordar o intuir al menos la realidad del mundo. Lo exterior desapareció en su conciencia. Su locura, gamopétalo, la hundía en lo irreal, trastornándola en el recreo de colores en sombra.

En mí, la soledad era punzante. Necesitaba calor maternal, el de ella, su calor; calor de hierba asoleada, regaños de espinas, pláticas de follaje. Quería pegar mis mejillas a su vientre, entrelazar mis dedos con sus dedos y mover mis cabellos sobre sus espaldas. Mi madre, toda ella era vegetal y yo deseaba tirarme desnudo sobre esa hierba. Entré con paso definitivo a participar por siempre de su locura.

El lugar era cálidamente húmedo. Las saxífragas crecieron por todas partes. Mi madre estaba tendida ahí, con sonrisa de mimosa y sed de mangle. Tenía la piel cubierta de musgo rojo. Sollozando hundí mi rostro en su vientre. Mis lágrimas buscaban profundidad más allá del musgo y de la piel; intento de formar cisterna en sus entrañas. Con la lentitud de mi lastimosa soledad deslicé mis labios en el rojizo espesor. Mis cabellos buscaban sus dedos. Los encontraron hundidos en la tierra, delgados, penetrantes, creciendo con rapidez y con terquedad de amate. El musgo de su piel cambió de tonos, azuloso, morado, negro. A mí también me había invadido el musgo, musgo blanco, musgo verde claro.

Abrí mi mano y sobre sus senos dejé desplazarse la plateada larva que yo había llevado para hacerla recordar que allá afuera las cosas son distintas, que el alma de los hombres no florece sino encarna. Con este regalo mío, de niño amoroso, tenía que hacerla recordar aquella humanidad, triste o alegre, herida y exaltada de emociones. Esa humanidad que sabe vivir con su dolor a cuestas y dentro de la piel, y que gimiente se conserva hombre, y hombre se mantiene aún en el desastre, en la desesperanza. No vale la pena ser humano, dijo ella, y yo quería humanizarla.

La larva avanzó sobre sus senos, hacia su hombro, por su cuello, movilizándose en un trazo animal; se envolvió en capullo y luego la metamorfosis, las alas en abierto despliegue. Una efímera parte del mundo animal revoloteaba en la oscura selva. Blanca mariposa aleteando entre los densos verdes. ¿Podría una mariposa con su belleza disolver tanta locura? Se posó en mi cabeza, bebió el néctar de unas florecillas blancas que crecieron entre mis cabellos. Dejó caer sus alas, desprendidas por la condena de su fugaz tránsito y murió. Derrumbada sobre la tierra, a las pocas horas estaba completamente desintegrada.

Me quedé desnudo de toda esperanza, desnudo como el miedo y quieto para siempre en mi condición de laso vegetal.

El hombre umbrío

Oseas tuvo la pena de nacer cargado de sombras bajo la influencia de una estrella ya muerta. Su madre, al amamantarlo, no podía evitar cierta repulsión ante el contacto con ese alguien lleno de fatalismo. "Este niño, se decía, trae consigo una carga de infortunio", y suplicaba a Dios lo librara de un mal destino.

Desde que Oseas nació, entró la mala suerte en la casa. Su padre quedó en la ruina cuando explotó la caldera de los baños de vapor. Murieron varios empleados y clientes. Y la tragedia fue tan sonada que jamás pudo levantar de nuevo el negocio. Entonces, el niño tenía siete semanas de nacido.

Conforme transcurrió el tiempo, y a consecuencia de las penurias económicas, se complicaron las relaciones familiares; el matrimonio discutía por todo y por nada; el padre buscó consuelo y alegría en otra mujer y poco a poco fue abandonando su hogar hasta

llevarse consigo a Marcelo, su hijo mayor. Ese sí tenía
buena estrella y daba gusto tenerlo cerca; en cambio,
con Oseas, por instinto de vida y conservación, la
gente con solo mirarlo tenía el impulso de huir.

La única que seguía apegada a él era Gilberta,
bajo las leyes de la maternidad que la movían a
protegerlo por aquello de que había brotado de sus
propias entrañas. El niño, siempre enfermo, le exigía
excesivos cuidados. Padecía del hígado, del mal de la
sangre, de anemia perniciosa o del corazón arrítmico.
Oseas salía de un mal para entrar a otro, y no había
esperanza ni de salud ni de muerte. Para solventar los
gastos de médico y medicinas, la madre se dio a la
prostitución.

Para todas las mujeres que trabajaban en el lenocinio
pueblerino, la vida era fácil y próspera, no así para
Gilberta a quien los hombres buscaban poco o de
plano la evitaban por conocer el cotilleo de que había
parido un hijo umbrío; se decía que por vivir con él
era transmisora de la mala suerte. Si acaso lograba
subsistir del ilícito negocio, era gracias a los forasteros
que, ignorantes de todo, pagaban por el placer que
ofrecía su cuerpo.

Durante una época la atacó la sífilis y su precaria
economía se derrumbó por completo. Por más de dos
años se sostuvo de la caridad que sus compañeras de

trabajo le ofrecían, y cuando Oseas quedó paralítico a causa de una embolia, Gilberta lo exhibía en las escaleras del atrio de la iglesia y mediante la compasión lograba día con día algunas miserables limosnas.

Un día, Leonora, la matrona, la mandó llamar y le aconsejó que se deshiciera del niño, que lo entregara a las monjas carmelitas que atendían el orfanato de San Luis de la Cruz. "Ahí estará bajo el amparo de Dios –le dijo– y quizá nuestro señor se apiade de él y se lo lleve para siempre".

Oseas tenía cinco años cuando lo dejaron en la puerta del convento. Las monjas se hicieron cargo de él, dispuestas a un mayor martirio que les permitiera ganarse la gracia de Dios. Era una oportunidad más para socorrer a un desdichado al que tenían que darle cuidados especiales, y al que dedicaban numerosos rosarios para que Dios lo acogiera en su misericordia.

El niño creció en ese convento construido en el siglo XVI en un territorio devastado en el que abunda todo tipo de cactus; un lugar abrasado por el clima asfixiante. Aun así, haciendo gala del espíritu sacrificial, monjas y niños trabajaban en las hortalizas a pleno sol. Al verlos ahí en tierra tan yerma, cualquiera imaginaría que levantaban cosechas de coles de fuego, pero como Dios ayuda a quienes sufren, las hortalizas se daban frescas y abundantes, un poco gracias al trabajo esmerado y otro tanto por mero milagro.

Dios escuchó los rezos de las monjas y en cuestión de meses Oseas sanó de su parálisis. No obstante que tenía el cuerpo maltrecho, pronto pudo incorporarse a las actividades de los otros niños. Además de su aspecto desagradable, era imposible evitar la sensación agobiante del peso de su sombra. Cuando entraba a cualquier recinto, la luz disminuía, y si estaba en el exterior, el sol parecía opacarse. Cierto que gracias a él, el clima se volvió más tolerable, pero algo de su persona carcomía el entusiasmo de los demás y todos los habitantes del convento se volvieron faltos de energía, enfermizos del ánimo.

Oseas se sabía despreciado y los niños aprovechaban toda ocasión sin vigilancia para hacerlo consciente de su estigma; imitaban sus defectos formando un corro de simios danzarines e ideaban todo tipo de atropellos. Un día, Oseas, en defensa propia, golpeó con una piedra varias veces a un niño hasta que le quitó la vida. Las monjas se aterraron e hicieron esfuerzos por considerar el acto como algo accidental. No se atrevieron a pensar que el niño, ahora de siete años, pudiera tener instintos criminales. A pesar de la buena voluntad religiosa se respiraba un suspenso lleno de temores y fingiendo que era necesario aplicarle un castigo, lo encerraron en un sótano para librarse del peligro. Sombra entre la sombra, Oseas vivió días de densa oscuridad y doloroso aislamiento. Mientras afuera, el sol se volvía más calcinante. Niños y monjas sentían que los hábitos se les incendiaban y las bocanadas de aire caliente llenaban de infierno sus pulmones. Por tal razón, la madre superiora dio la orden de que sacaran a Oseas para que con su sombra refrescara el ambiente.

Un viernes en la madrugada Oseas acompañó a tres de las monjas a acarrear agua del pozo. Estaban en esos menesteres cuando una monja que tiraba de la cuerda para ascender el cubo lleno fue jalada por una fuerza extraña y cayó al fondo profundo. Niños y monjas corrieron en auxilio pero la profesa encontró la muerte en la oscuridad de las aguas. "Tú la empujaste –sentenció la madre superiora– señalando a Oseas quien negaba con la cabeza. Sí, si no la empujaste de obra lo hiciste con el pensamiento".

Todos los ojos se volvieron hacia él, más aterrados que acusativos. De nuevo lo encerraron en el sótano durante dos días con sus noches. Las religiosas se dedicaron a sacar el cuerpo de la hermana fallecida, porque si la dejaban ahí, contaminaría el único surtidor de agua potable que tenían. Después de lograrlo tras titánicos esfuerzos, Oseas, desde su espacio carcelario, escuchó los cantos fúnebres de las ceremonias de velación y entierro.

No sin antes pedirle a Dios le diera paz y dulzura, la madre superiora bajó a hablar y decirle que lo llevaría con el señor obispo para que él decidiera sobre su destino.

Oseas se soltó llorando y preguntó el porqué. La monja, fortalecida con la benevolencia maternal de la virgen, pudo atreverse a abrazarlo y teniéndolo en su regazo le murmuró: "Porque... mi niño, a ti te envuelve una mala sombra". Acongojada por el desconcierto de la criatura, y con intención de explicarle el fenómeno de su nefasto halo, lo sacó del sótano y lo condujo a un patiecito donde tenían sembrados varios girasoles. "Todas las flores atraídas por la luz miran al sol –le dijo– pero observa qué pasa cuando tú te acercas". Aquellas inmensas flores amarillas y altivas que nutrían su color bebiendo la luz solar, de pronto se agacharon. "¿Lo ves?", dijo la religiosa con énfasis recriminatorio. Oseas observó el espectáculo, y en susurro y tartamudeando le preguntó: "Si logro que las flores me miren, ¿me dejará permanecer aquí?" La monja sonrió: "Ciertamente, y que Dios te ayude". Presurosa, se fue y lo dejó solo para que intentara su hazaña.

Tan cabizbajos permanecían los girasoles, que Oseas

se valió de una maña. Buscó varas e hilo y los amarró a todos viendo a un solo punto, hacia el centro del patio. Se sentó ahí con el afán de que las flores se acostumbraran a él, con el intento de que erguidas se habituaran a mirar su sombra. Aquel florerío sujeto comenzó a pegar de gritos estridentes, los tallos se retorcieron y las flores terminaron por deshojarse todas.

Oseas comprobaba que era cierta la leyenda sobre su halo oscuro. Con la muerte de los girasoles, era seguro que lo llevarían con el obispo y este lo encerraría en algún sótano. No había más camino que la huida. Salió sigiloso y escapó.

Huyó corriendo hacia el desierto, entre cactus y bajo el sol cenital sin sentir agobio alguno. Iba protegido bajo su propia sombra como si fuera un árbol móvil de fronda inmensa. Como a las tres de la tarde se detuvo y desde una gran distancia contempló el convento. Nunca antes había visto un cielo tan rojo. Las biznagas se incendiaban, bolas de fuego movidas por un viento leve. Aquello parecía un campo de soles caídos y rodantes. Lenguas de lumbre lamían la mansión de los expósitos. Lleno de tristeza contempló desde su lejanía el incendio. Cortó unas pitahayas y se alimentó y apagó su sed.

En cuatro días de caminata llegó a un territorio rojizo

y erosionado donde las cactáceas son profusamente espinosas y pequeñas. El sol parecía estar más cerca de la tierra y para protegerse de sus rayos era necesario meterse en las zanjas como los reptiles. Solo Oseas podía soportarlo bajo su propia sombra. De una grieta salió un hombre y cuando lo vio rodeado de un círculo sombrío y protector, se echó a sus pies en actitud de adoración. "A donde vayas, voy contigo", le dijo el insolado, y juntos se pusieron en marcha.

Conforme avanzaron, como apariciones, fue saliendo gente detrás de los cactus y de entre las grietas y todos se ampararon bajo su sombra. Cuando hubieron caminado lo suficiente como para sentirse fuera del mundo, tomaron su asentamiento.

Lejos de mirarla como un infortunio, los hombres del desierto vieron en la sombra de Oseas una bendición. Y llenos de regocijo y gratitud le dieron el mando del pueblo. Hoy, esa gente que antes vivió insolada, lo llaman "nuestro señor sombra" y le rinden culto por dar consuelo a los seres vivos que habitan en esas arenas iridiscentes del desierto inhóspito.

Agosto, el mes de los ojos

En mi pueblo, a causa del clima pluvioso, se hizo costumbre el uso de paraguas, especialmente en agosto, mes abundante de lluvias. Por su función ocular, ahora son imprescindibles en todas las épocas del año.

Mi abuelo era paragüero, el más viejo y famoso en su oficio. Nadie ha podido igualar su destreza y la calidad de su trabajo al que se dedicó casi todo el tiempo, incluso dejó de dormir para entregarse de lleno a su obsesionante faena.

Su taller, ubicado en lo alto de la casa, es un sitio desvencijado a punto de desmoronarse. El reclinado ventanal tiene todos los cristales rotos, de manera que siempre entran los chiflones. De día o de noche, mi abuelo trabajaba con viento. Después de muchos años de plegarias, hubo conseguido que siete ánimas en pena se apiadaran de él, encargándose de cuidar los siete cirios que durante las horas nocturnas alumbraban su obraje. Guardianas fieles impedían que las ráfagas apagaran las velas. Así, junto con el silbar de las galernas y los lamentos de las ánimas, el abuelo encontró la música de su inspiración.

En los meses de febrero y marzo el viejo se debatía en una cruenta batalla contra los ventarrones. Las sedas negras, inmensas mariposas de mal presagio, se levantaban movilizándose por toda la estancia. Volátiles subían y bajaban, de aquí para allá, perseguidas por los gritos y las manos del anciano obrero. Cuando esto sucedía me gustaba espiarlo, porque las imágenes me recordaban los cuentos de mi abuela que decía que durante las tormentas las velas de los barcos se vuelven negras y fúnebres. Los lienzos al aire me hacían pensar en aquellos veleros de sus relatos, oscurontados por la cerrazón de las tempestades, debatiéndose en alta mar. Mi abuelo, relacionado con esas metáforas, me parecía un eterno náufrago.

El viento rasgaba y deshilachaba las sedas, y a causa de ello, los paraguas confeccionados en febrero y marzo tenían un acabado en jirones. En la temporada del viento cruel, una larga hilera de mendigos se formaba en la puerta de la casa para adquirirlos como regalo, y aunque bajo ellos no estarían protegidos de la lluvia, les servían de complemento decorativo para su harapienta vestidura, y sobre todo los libraba de la ceguera.

En una ocasión, marzo fue más violento que nunca, trajo consigo toda la reciedumbre de las galernas y ni siquiera tuvo misericordia de las ánimas en pena, aferradas a la tierra para llorar sus culpas y lamentaciones. El viento retozó con los siete espectros revolcándolos en el espacio y les dijo que las voces de los muertos deben buscar su cielo o su infierno. Cuatro de las ánimas vagarosas fueron ardidas por las llamas de los cirios; quizá cayeron al averno o lograron su purificación. A partir de entonces mi abuelo tuvo que trabajar solo con la luz de tres cirios cuidados por las ánimas que se escaparon de los vientos y llamas para seguir apegadas a los quehaceres terrenos.

Desde la azotea solo son visibles los paraguas. Mi pueblo no parece habitado por gente sino por murciélagos que avanzan lentos por las calles, y es que las sedas son tan finas como las alas de estos animales. Yo las he tocado y en verdad son muy suaves y delicadas. Los paraguas parecen ser alas de murciélago en perfectas geometrías circulares.

Aquí, casi toda la gente es ciega o tuerta, porque con tantos paraguas los ojos se quedan ensartados en los picos de estos. Algunos son de cinco y otros de siete o nueve puntas. Hay personas que se sienten muy felices porque de cada una, cuelga un ojo. Aquí nadie ve con sus propios ojos sino con los que traen engarzados en los quitalluvias. Por eso nunca mueven la cabeza, no tienen necesidad de voltear y bien saben lo que hay tras de ellos o a los costados. Incluso algunos, al igual que si tuvieran radar, retroceden de espaldas o caminan lateralmente. También por esto se parecen a los murciélagos, avanzan sin chocar, pero en agosto, con las lluvias, se apresuran tanto que se sacan los ojos. Diciembre es el mes en que se consiguen las castañas; y en agosto, los ojos.

Hace tres noches vi salir por el ventanal a las tres ánimas en pena. Poco después se apagaron los cirios. Mi abuelo no repeló de la oscuridad como era su costumbre. Subí y lo encontré muerto, lleno de viento, enredado en sedas negras. Su último trabajo fue un inmenso paraguas en el que mi abuela puso su cadáver y lo lanzó al mar, carabela de la muerte, navío póstumo. Con voz solitaria y dolorosa me dijo que así se lo había pedido porque él siempre deseó ser navegante, pero la tarea de los paraguas lo apartó de su sueño.

La ceremonia fue de noche mientras soplaba un leve vientecillo proveniente del sur. La abuela ordenó que los tres nietos ensartáramos nuestros ojos en el sepulcral paraguas con el fin de que el muerto no fuera a la deriva. Obedecimos, y debiendo cubrir los cuatro puntos cardinales, ella, que también era tuerta, dio su ojo y lo engarzó en el lado norte para orientarlo hacia la dirección de las cuarenta islas. El viejo siempre deseó viajar por el archipiélago.

Aquel paraguas, goleta de quién sabe cuántos sufrimientos, se fue navegando nostalgia adentro de la muerte.

Hoy en la noche, cuando ya estaba dormido, oí la voz de mi abuelo. Me ordenó seguir con la tarea de los paraguas. Hoy supe que mi infancia ha terminado, que no volveré a dormir ni de día ni de noche. Y estoy aquí, en el taller. Trabajo con viento, corto la seda negra y la uno a los metálicos esqueletos geométricos. Trabajo con la luz de un solo cirio y el ánima en pena de mi abuelo llora, canta y cuida que las ráfagas no me apaguen la llama.

Reloj de sombra

Alfonso Argensola solía mostrarle a su sobrina Leopoldina un libro casi despedazado con antiguas y ajadas ilustraciones de iglesias y catedrales góticas. Le decía con énfasis que tal arquitectura es un enviar el alma hacia los altos espacios en difícil goteo de abajo hacia arriba, para ser finalmente punta que zahiere, fina plegaria de piedra tallada, grito agudo: el hombre que penetra en Dios. Alfonso gustaba de esos ojos de la niña que le crecían con el asombro y de esa boca semiabierta que parecía escuchar más que los oídos. Ojos y boca bebían todo lo que él narraba. Aunque Leopoldina, por su corta edad, poco entendía de estilos, valores y tiempo, creció fascinada ante este tipo de construcción.

El tío Alfonso abandonó el pueblo de los Remedios para irse a recorrer ciudades, llevándose consigo el viejo libro. Ahora, sin poderlo hojear, las tardes han dejado de ser fascinantes para Leopoldina, quien intenta reconstruir en su memoria aquellas maravillosas láminas que diariamente contemplara. Las catedrales son su ensoñación permanente, se escapan de aquel libro y las ve en erguimiento fantasmal, estructuras que giran, vagan, ya móviles o estáticas, oscuras o brillantes, sonoras o silenciosas.

Todos duermen, menos Leopoldina. El caserón pueblerino está en penumbra y solo un quinqué despide luz amarillenta circular. Ella, sobre una mesa de caoba, modela una catedral en plastilina. A las torres y espínulas, que por su textura y grosor distan mucho de semejarse a las finas formas de aquellas ilustraciones, la infanta les encaja alfileres para darle un acabado sutil.

Concluida la obra, Leopoldina saca al pez de su artificial albergue, lo deja moribundo en el suelo, y usa la pecera como domo para proteger su alfiletereada catedral. Nadie se atreve a decir nada sobre el pez muerto. Cada mañana, Leopoldina quita la cúpula de cristal para sentir en las yemas de los pequeños dedos las agujas punzantes, eso que entra en la carne con espiritosa decisión. En ello descubre su mayor placer.

Conforme pasan los días, adquiere el hábito de jugar con alfileres. Se acrecienta su repudio a las formas redondas, tersas, de líneas curvas o planas. Todo aquello que no termina en punta, carente de reciedumbre y esbeltez, le parece blandura y obesidad de las formas.

Siempre que Manuela, la sirvienta, va al mercado, la niña la acompaña con la única finalidad de comprar paquetes de agujas y alfileres. En los muros de su cuarto pega decenas de estas tiras de papel donde uniformemente lucen los objetos de su obsesión. Muros tapizados, pegamento de papel de estraza hilvanado con metal. Las porciones de alfileres y agujas adquiridas son tantas que ocupan cajas de todos tamaños, frascos, vasos y talegas. Todos los libros de cuentos infantiles que le regalara el tío Alfonso tienen estos instrumentos de la costura, penetrando letras e imágenes. Otras grandes cantidades las ha dispuesto encajadas en las muñecas de trapo, en el Santo Niño de cera, fotografías de los abuelos y otros familiares, velas, y en el Cristo de madera. Así corrige lo que es liso, combo o romo, evitando cualquier sensación de redondez.

La niña es bruja, murmura Manuela, pues todo en su cuarto parece conjurar la maldad y el dolor. Esto se comenta entre los familiares que mucho se aterran, particularmente aquellos que saben que sus fotografías están cubiertas de alfileres. El sacerdote acude al llamado de la madre alarmada y sostiene una larga conversación con Leopoldina. "Lo que haces, le dice, es cosa de brujos". Ella solo responde que le gustan los alfileres y las agujas, y le habla de templos, de formas góticas como manera de penetrar en Dios. El sacerdote tranquiliza a Arcelia, la madre: "No hay peligro alguno, son niñerías".

En la familia de los Argensola suceden enfermedades, muertes, quiebras económicas y depresiones de ánimo. Arcelia insiste en considerar que los citados desastres son obra de Leopoldina, que juega con instrumentos del demonio. Piensa que a través de alfileres y agujas, los écubos son atraídos del infierno por artificio de la niña. La paz de la casa ha sido perturbada. Arcelia ordena a la sirvienta que tire todos esos bártulos demoníacos a fin de aplacar la insania de su hija y la mala suerte que provoca. Leopoldina amenaza a su madre con encajarle alfileres en los ojos cuando esté dormida, si se atreve a sacar de su cuarto cualquiera de sus objetos predilectos. Y en la noche, para advertirlos de lo que es capaz, encaja siete alfileres en los ojos del gato. El animal, ante el asombro de todos, camina por paredes y techos emitiendo maullidos. Ante lo sucedido, todos se someten a la manía de Leopoldina, sin que por ello puedan salvarse de vivir aterrados, con la sensación de estar sujetos bajo una amenaza maléfica. Viven convencidos de que es Leopoldina quien procura enfermedades y muertes.

Solo don Melgar, el padre, muestra disgusto ante los miedos y habladurías y dice que los Argensola no deben creer en supersticiones. En Arcelia, a causa de su embarazo y estado de hipersensibilidad, aumentan la angustia y los temores. Vive acosada por pesadillas. Sueña que su hijo próximo a nacer, alfiletereado, sucumbe en muerte prematura. En ocasiones grita por intolerables punzadas en el vientre. Algo la aguijonea por dentro. La obsesión es tal que termina refugiada en casa de su hermana, quien la atiende durante los últimos días de embarazo.

Manuela descubre que Leopoldina come agujas y alfileres, razón por la cual desprecia todo tipo de alimento. Y no sangra, no se retuerce, las ingiere como tragos de agua. ¿Comes agujas?, le pregunta el doctor, y ella responde que es lo único que apetece. Y... no hay dolores, ni desgarramiento, ni sangrado.

Arcelia ha dado a luz un niño al que llama Isidoro, hechura de su entraña bajo el misterio de la naturaleza que reproduce a los seres. Es suficiente razón para desear protegerlo, y por ello se niega a volver a casa. Muy oscuros son sus pensamientos cuando reflexiona en su hija, a quien no sabe si culpar o simplemente compadecer. Leopoldina toma conciencia de que es temida, considerada amago contra la felicidad hogareña. Siente nostalgia por su madre, llora su ausencia, reclama la falta de su cariño. Abrazada a su nana, pregunta por qué ha sido abandonada. Manuela explica cosas que la niña asegura no entender, y le enumera las desgracias acontecidas supuestamente por su culpa: el infarto de Don Melgar; la desecación de los dos pozos. Sobre todo las muertes de su tía Catalina y de la abuela, la del tío Alfonso que murió en un naufragio y la de Juan, el jardinero carbonizado por un rayo al que no le siguió tempestad o gota de agua alguna; el incendio del aserradero donde se perdió un gran capital; la ceguera del abuelo y la calvicie de Arcelia que la ha dejado con aspecto de orate. Manuela le muestra la almohadilla donde la madre ha ido acumulando su pelo caído. Leopoldina reclama los cabellos de su madre, los quiere tener consigo para acariciarlos, pero Manuela se lo niega por el temor de que aumenten las desgracias. Los alfileres son cosas del diablo, le dice, en ellos acciona el demonio; cuando le clavaste los alfileres al gato, cegaste a tu abuelo.

Leopoldina ha visto la imagen del anciano en el jardín con el gato amedentrado en sus rodillas, ambos ciegos, pero no siente que ello sea una tragedia. Por el contrario, la imagen le provoca calma; es para ella un cuadro de la serenidad.

Ahíta de quejas y culpas, Leopoldina trata ahora,

en nombre de los demonios y por poder de ellos, comunicarse con el espíritu de su tío Alfonso. "Tío, tío Alfonso –le dice– a qué me enseñaste que las catedrales góticas se alzan buscando a la divinidad, ayúdame a elevarme para llegar a Dios". Así, en medio del jardín, levanta su mano izquierda en cuyos dedos tiene nueve alfileres encajados, y por vez primera conjura. Un aire violento avanza por los cuartos y corredores de la casa, mismo que despierta a sus moradores. Atraídos hacia la ventana contemplan estupefactos cómo Leopoldina se adelgaza, se metaliza y se convierte en una aguja de acero. La luna parece un hueco blanco que jala para sí la gótica forma en la que Leopoldina se ha trocado.

Arcelia, calva y atónita, ha vuelto a su casa. Pasa largas horas sentada en una silla de mimbre apretando a su hijo Isidoro contra su pecho y contemplando la afilada altitud de Leopoldina: un ser frío, metálico, agudo como un grito, que deshumanizado y en búsqueda de una condición divina, ha penetrado en Dios.

Y más que mirar el agudo acero, Arcelia contempla la delgada sombra que gira a ras del suelo marcando las horas y testificando lo inexplicable.

Juegos de poder

A nuestro pueblo, Presidios, una vez al año, el día en que se festeja a la Santa Leprosa, llega el viejo titiritero. Siete campanillas pendientes de una barra y los cascabeles atados a las patas de los caballos que tiran del carruaje, anuncian su presencia.

En Presidios, lugar reseco y caliente donde los niños se vuelven tierra, se agrietan, se rompen y mueren como polvorón de pan, el titiritero significa el único júbilo posible entre la vasta desgracia.

A diferencia de los demás infantes, Narcedalia, hija del acaudalado Don Román, tiene la piel húmeda y en su encierro protector desconoce los vientos de cal y la fina lumbre de los rayos solares. Su madre, antes de morir, suplicó que la mantuvieran por siempre dentro de la casa, que la niña nunca saliera porque afuera, en donde todos suponen que está la vida, flota y se extiende el vaho de la muerte.

Desde hace siete años Narcedalia anhela salir para poder ver de cerca las funciones del titiritero, pero su padre dominante y cáustico le niega tal dicha. Llorosa, aferrada a los barrotes del balcón, mira pasar al viejo con su teatro rodante lleno de títeres y lo ve alejarse hasta la plaza de la iglesia de la Santa Leprosa. Ahí se instala, abre telón y hace que los títeres se muevan, hablen, dancen, se enamoren o se agredan entre sí; al capricho de su manipulador provocan risa y llanto en un público fascinado y avergonzado al comprobar que esos muñecos tienen mejor ánimo que la gente de Presidios.

Si al menos Narcedalia tuviera un títere, pero en vano ha suplicado a su padre que le compre uno. ¿Para qué quiere ella un títere, un monigote atado de hilos si ni siquiera sabe cómo moverlo? Y además, ella no necesita un juguete pues bastante tiene con andar corriendo de una habitación a otra, pasando por las siete puertas de la larga y vacía, que crujía adyacente a la casa-habitación. Ella misma lo ha dicho, que paseando por esos cuartos, dando saltos y haciendo giros, siente una gran alegría, sobre todo cuando el diablo se le aparece gesticulando dengues y mostrando su lengua bífida. Un títere ¿para qué? Ella insiste arrojando borbotones de lágrimas y gritos que descarapelan las paredes. Su padre se enfurece, niega con su vozarrón y suelta la amenaza de que va a mandar a matar al titiritero para que no vuelva más a inquietarla.

Ajenos al festín popular, en la casona todos duermen en un descanso a medias, perturbado por los ronquidos de Don Román y la voz de la nana que en sueños canta y regaña. Apenas se escucha cierta algarabía lejana, las risas forzadas del populacho en la obligación de ser feliz una vez al año en esa feria solo animada por el viejo titiritero. Pasadas algunas horas, se escucha el cilindro con el que se despide el divertidor. A su música se aúnan los cantos tristes de la gente que ante la idea de que él está por partir siente ya la nostalgia adentro, y todos en procesión lo acompañan a la salida del pueblo.

Sigilosa, Narcedalia se levanta, abre los oscuros del balcón y se asoma para ver pasar el desfile, más fúnebre que festivo con esos adioses desconsolados, cantos dolorosísimos y ayes que brotan de la añoranza antelada.

Narcedalia extiende sus manos en adiós, abrazo al vacío, anhelo abierto, con la esperanza de que el trashumante le regale un títere, pero el viejo que avanza en línea recta hacia otro rumbo, ni siquiera la advierte; sin embargo, sobre los baúles bien acomodados en el techo del carruaje, va sentado el Diablo y es él quien le obsequia a Narcedalia un manojo de cordeles, una talega llena de armellas y una cruceta de madera. De momento la niña no comprende para qué han de servirle pero luego, con los recuerdos de la opresión y las iras, el revoloteo de los descontentos contenidos y con la claustrofobia en hervor, su imaginación comienza a bordar ideas hasta que impulsada por un nuevo ánimo se dirige al cuarto de su padre y sin que este logre despertar para defenderse, ella le atornilla las armellas en la cabeza, pies, manos, codos y rodillas y ata los cordeles en forma conveniente de las articulaciones a la cruceta.

Toma las llaves y por vez primera sale al pueblo arrastrando a su padre por la calle principal, sube a la torre de la iglesia a donde encuentra al Diablo tocando las campanas, y al poco tiempo, abajo se concentra toda la gente del pueblo. Narcedalia suspende al títere en el vacío y lo manipula ante tantos ojos asombrados. El vocerío sugiere y ordena movimientos para el títere, y Don Ramón, el antes erguido, ahora cabizbajo, se agacha, se hinca, se derrumba, se arrastra, suplica y llora poseído por la mano que acciona la cruceta.

Un títere para Narcedalia y con él su poder y su libertad al tiempo que una llovizna inicia su combate contra el polvo.

Heliocidio

Aristeo se afana en la labor de nacer, sufriendo entre los huesos apretados de su madre que no dan de sí. Acaso no por amor de retenerlo sino con voluntad de dificultar su primer impulso de ser, ella lo contiene en su sombra sanguinolenta. Aún no es dueño del grito para pedir auxilio, mas la partera, combatiendo muerte y propiciando vida, hunde el cuchillo. Abierta las entrañas, muestra su flor roja y arroja el fruto. Aire, luz y remolinos de miedos se injertan en el naciente.

Aristeo crece entre golpes y desprecios. Acaso lo azotan no por quererlo matar, sino solo para zaherirlo y torturarlo como única explicación de que no es querido. El llanto, fuerza de sal medicinal, cierra llagas y costura gruesas cicatrices.

Aristeo madura y la pulpa de sus años es acosada por el repudio y la crítica, plagas que zumban y dientes que mascan carne y alma. Acaso no por consumirlo sino para gustarlo a la manera de quienes se alimentan de manjares amargos. Aunque los innumerables dientes lo fracturan y cuatrocientos mil estómagos lo digieren, Aristeo se regenera a sí mismo, miembro por miembro y siempre se mantiene devorado e íntegro.

Aristeo crece en estirones de resentimientos y apisonado odio. Desea venganza, no por tener el ánimo encarnizado, sino por natural sed desfacedora que lo lleva a devolver con justicia lo recibido.

Aristeo busca mujer y la preña. La tiene gestando junto a la hoguera, no por reemplazar con ello el calor que por desconocido es incapaz de darle, sino con el fin de que el fruto madure pronto. Ganándole tiempo a la naturaleza, en breve, a los tres meses, nace una niña a la que llama Oquedacia.

Aristeo amputa los senos de su esposa para negarle a su hija el alimento. No por odiarla, no, sino para que le crezca la boca de hambre. Durante el día esconde a la criatura dentro de una olla de agua fría por donde solo asoma la cabeza. De noche la saca al arenal, al centro de las corrientes de los cuatro vientos.

Oquedacia se mantiene viva con solo trocillos de hielo. Tiembla al igual que respira, y no por miedo sino por el vigor del frío y su compulsiva avidez de lo cálido. Llega el momento en que Aristeo la lleva de día al arenal, ahí desnuda bajo el sol rotundo. Oquedacia abre su boca, succiona calor, se atraganta de la esfera solar que se alarga como chicle para pasar lenta por su garganta. Tras la última deglución, consumado el helocidio, se reproducen las negruras y las nieves, y una vez congelados la acritud y el sadismo, todos se cristalizan en la no vida.

Oquedacia se levita de la tierra, no por su global estómago indigesto de sol, sino por una hambre nueva que la lanza al firmamento en búsqueda de asombrosos nutrientes.

Aristeo, sueño satisfecho, creada su justicia, dormita en paz. Y en cada noche y en toda siesta va desarrollando visiones oníricas de venganzas perfectas.

Las gallinitas

En el mercado central, viejo y podrido corazón de la ciudad, un cacareo humano, femenino y senil irrumpe diariamente al iniciarse el alba. En las bodegas donde se almacena garbanzo y trigo, innumerables hombres reciben mercancía, cargan en sus espaldas pesados costales, y por entre los boquetes de estos, a chorros o lloviznas se escapan los granos esparciéndose sobre la basura viscosa. Atraídas por estos alimentos llegan las ancianas para dedicarse a la recolecta. Son enjutas, casi ciegas, vestidas con hilachos negros o grises, malolientes. Una costra de mugre consumada les oscurece el rostro. Con sus dedos de pico de ave, las viejas madrugadoras, encorvadas, recolectan las semillas y las guardan en pequeñas y fétidas talegas. Acaso cada una llega a acumular 20 o 50 gramos, suficiente para su nutrición precaria. A pesar de su fatiga, se mueven con una rapidez admirable, y cuando los cargadores les pegan de gritos y las corren con duros gestos, en grupos se movilizan espantadas y es cuando más se asemejan a las gallinas. Se arrinconan y luego reemprenden sus labores hasta que los tritones las sacan a latigazos. Con sus bultitos bien apretados, las viejas se juntan, escupen maldiciones y se retiran a sus escondrijos, allá en las ruinas de los milenarios baños colectivos.

Alba con alba regresan en busca de su sustento y siempre son repudiadas por los bodegueros. Así viene sucediendo desde hace siete siglos y no hay manera de deshacerse de ellas. Muchas de esta ancianas son las mismas prostitutas, aquellas que a finales del siglo XIV fueron maldecidas por el anacoreta Smadesh, y quienes recibieron el castigo de la eternidad. Inútiles son los intentos de matarlas; vivamente seniles son la vergüenza y la amenaza de nuestra ciudad. Quizá porque no demuestran sufrimiento alguno, o porque su perpetua desgracia es menos temida que los misterios de la muerte, no fungen como ejemplo de control social contra la corrupción; por el contrario, aquí las mujeres se prostituyen con facilidad, y acuden a las ruinas para ser instruidas por las vetustas y eternas rameras. Noche a noche, oscuras decrépitas y mujerzuelas pintorrajeadas llevan a cabo atávicos festines. Década con década se multiplican, y al futuro de los siglos la ciudad estará saturada de mujeres centenarias y de adolescentes conversas a la prostitución que buscarán este medio como el único posible para escapar a la muerte.

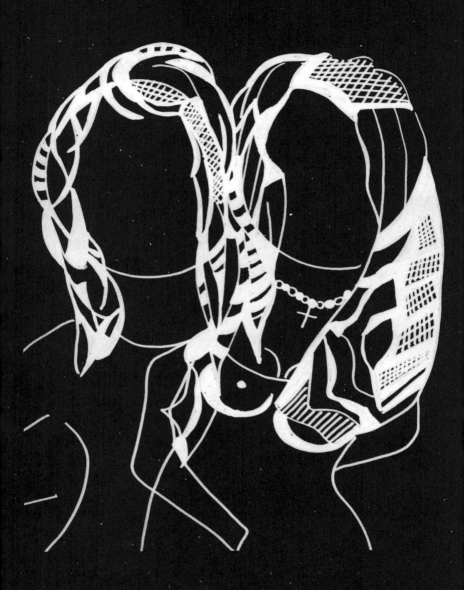

Ana y el tiempo

A na toca el piano.

La música es lo único capaz de emocionarme. Escucho cómo Ana, mi esposa, practica con la mano derecha la melodía del preludio No. 4 de Chopin. Pasan horas y sigue en lo mismo, solo en la melodía. Siento primero el deseo y luego la desesperación por escuchar los acordes. Pero no, ella insiste en la mano derecha. Me levanto y despacio me acerco al piano. Es entonces cuando recibo el impacto: Ana carece de mano izquierda. Ahogo un grito. Es una alucinación, pienso, pero pronto me cercioro de que es realidad. Quiero preguntarle cuándo y cómo fue que la perdió, pero la sola idea de pronunciar la palabra amputación me produce escalofrío y me deja mudo. Advierto que Ana no disimula su carencia, parece habituada con total aceptación, o tal vez no está consciente de eso. Es muy posible que alguien pueda vivir sin una mano sin darse cuenta. Lo mismo pasa conmigo que, a pesar de vivir con ella una relación tan profunda, no llegué a advertir un detalle tan pequeño como este. ¿Pequeño? Sí, una mano solo mide unos cuantos centímetros. La manga cuelga vacía y parece mecerse en un movimiento inspirado por la música. Me pregunto si la mano izquierda sería tan bella como lo es la derecha que, hábil y suave, recorre el teclado. Trato de recordar.

Es posible que la haya perdido en un accidente que he olvidado, o quizá yo mismo se la amputé en uno de esos múltiples pleitos que hemos tenido. Puede ser, porque son muchas las veces que Ana me es molesta, sobre todo cuando se comporta cariñosa con alguien, con cualquiera, desbordando su afecto solo porque sí, con ese dejo de sensiblería tan habitual en ella. Bien sabe cuánto me disgusta eso. No sería raro que en circunstancias tales yo se la cortara en señal de castigo. Pero... una cosa de estas sé recordarla. No, seguramente ella perdió la mano hace mucho tiempo. No sé si ya estaba así cuando me casé con ella; es difícil creerlo, porque dada mi sensibilidad y mi amor por la belleza, sería incapaz de casarme con una manca. Tal vez me engañó usando una mano artificial, lo cual yo no percibí. Pienso en todas las incontables veces que hemos hecho el amor. En momentos así se usan las dos manos, el cuerpo entero, e incluso dicen que se asoma el alma. Yo me hubiera dado perfecta cuenta en caso de que usara una mano artificial o bien de su carencia. Ninguno podría no reparar en un miembro postizo, inerte, justo cuando la piel arde. Soy... soy sensitivo.

La ausencia de esa mano me obsesiona. Tal vez si abordo el tema, ella haría un comentario que me oriente y quizá escuche de sus propios labios cómo fue que perdió la mano. La tensión me impide hablar. Siento pavor de que ella confirme lo que hace un momento pensé: que he sido yo quien se la ha arrancado. Ana –le digo–, ¿por qué no tocas los acordes? Ella voltea y sonríe. Veo que su sonrisa es amarga. Comprendo que con esa carencia nadie puede reír plenamente. Me molesta su sonrisa. Hay algo en ella que nunca antes había visto: un odio maniatado con hilos de dulzura. Ana me complace, y con la misma mano derecha se desplaza hacia los bajos del piano y toca los acordes. Son graves, es un sonido que emerge del averno, un De Profundis en el que clama la mano muerta. Nosotros, a lo largo de los años de nuestro matrimonio, siempre hemos hecho rituales y fiestas hasta con motivo de los más mínimos acontecimientos. Pienso que, con seguridad, a su mano muerta le hicimos un solemne entierro. Trato de imaginarme el cortejo fúnebre asistido por ministros, damas elegantes y llorosas, niños vestidos de blanco y amigos intelectuales. La carroza tirada por caballos negros. Sobre una alfombra de pétalos de rosa, la pequeña cajita blanca conteniendo la mano. En el cortejo, los músicos tocan el Réquiem de Fauré bajo una lluvia mínima como si la luz se hubiera hecho trizas y cayera desintegrada. El hoyo profundo y amplio. La mano descendiendo. Veo a todos los concurrentes depositar sus regalos, todo cuanto una mano puede desear aún en el mundo de los muertos: flores, pañuelos, monedas de oro, guantes, anillos, pulseras... Y Ana, Ana viendo todo aquello, pulsando esa dualidad de la vida y la muerte, despidiéndose de sí misma. De pie ahí, fragmentada, débil por la sangre perdida, y fuerte y poderosa por su parcial conocimiento de la muerte. ¡Funeral inolvidable! Entonces, ¿cómo es que mi mala memoria me priva de recordarlo a todo instante? Lo que pasa es que Ana se negó al rito y prefirió guardar la mano en un frasco. Ahí la tiene y constantemente la contempla. Siento una tremenda curiosidad por ver esa mano. Es un morbo, lo confieso, un morbo que me persigue a mansalva en el interior de mi ser. ¡Tengo que ver esa mano! Sonrío y me retiro. Ana sigue entregada al piano. Despacio, disimulando mi prisa, me dirijo al segundo piso. Busco en el armario del cuarto, en el guardarropa, en los cajones, papeles, libros y ¡nada! La mano no está. Otro pensamiento me taladra la cabeza: Ana envió la mano a aquel que fue su primer amor para testificar que aún piensa en él y que parcialmente es suya.

Solo que... ese hombre murió hace mucho tiempo. ¡Me atormenta no saber cuándo fue que la perdió, cómo y dónde! Es fácil saberlo. Abro la vieja maleta donde guardamos las fotografías familiares gracias a la insistencia de Ana, porque en lo particular yo siempre he odiado las fotografías. Ahora reconozco el valor que tienen: son en sí la memoria, el único testimonio veraz donde el hombre puede redescubrir todo aquello que ha vivido. Revuelvo las fotos, las miro con atención: Ana y yo juntos cuando iniciamos el noviazgo; Ana bailando; Ana comiendo; Ana y yo en un parque; Ana en la fiesta del los Benson; Ana en el día de nuestra boda llorando en los brazos de su viejo padre; Ana en la iglesia de San Patricio cuando nuestro hijo mayor hizo la primera comunión; Ana nuevamente embarazada; Ana, yo y nuestros cuatro hijos. Es extraño ver tan detenidamente el rostro de la mujer con la cual he compartido 15 años de mi vida. Pero todas esas fotos están tomadas de tal manera que no se puede ver si tiene o no la mano izquierda. Me detengo a mirar la foto de nuestra boda. ¿Estaría manca entonces? No puedo recordarlo, pero insisto, yo no podría haberme casado con una lisiada. A no ser que nuestro matrimonio se efectuara por algún interés. Su padre era un hombre rico, pero igualmente lo es el mío. Nunca me interesó unir fortunas. Quizá fue simplemente por amor o acaso por un sentimiento de compasión. ¿Qué me motivó a casarme con Ana?

Me esmero por revivir aquel tiempo, por sentir lo que alguna vez sentí.

Se me ocurre algo; ir a San Andrés donde pasamos nuestra luna de miel y hablar con el viejo de la hostería. Compartimos mucho tiempo juntos e incluso nos llevó a recorrer aquellos campos vastos de verdes y arroyos. El trayecto es largo bajo esta ráfaga de lluvia; a través del agua las imágenes del mundo se distorsionan como si en ellas se incorporara esta sensación de que todo lo mío es impreciso. Las llantas patinan en el pavimento y levantan el agua que sube y se extiende como alas instantáneas. Los limpiadores funcionan en el esfuerzo de mantener la visibilidad. Veo la mano de Ana limpiando el parabrisas, como si a pesar de estar desprendida de su cuerpo estuviera dispuesta a hacer cualquier cosa por mí. La imagen desaparece. Avanzo devorando con velocidad tramos de carretera. Freno a punto de voltearme. A mitad del camino, ahogada en una charca, semihundida, la mano de Ana es golpeada por la lluvia. Quiero bajar y recogerla con esa angustia y regocijo de quien por fin encuentra algo buscado con tanto afán y penas. La imagen desaparece. Siento dolor en la boca del estómago. A pesar de la velocidad me parece que no avanzo, hasta que por fin paso la terrible cortina de agua. Se avecina la lejanía y llego hasta San Andrés;

rodeo el pueblo por un costado y subo por la empinada carretera de tierra hacia el Mesón de la Concordia. Me quedo un rato en el coche reflexionando en las alucinaciones experimentadas durante el trayecto. Decido bajar y preguntar por el viejo hotelero del que solo recuerdo sus ojos cansados de tanto observar las cosas. Seguro que él advirtió todos y cada uno de los detalles de la figura de Ana. El hombre joven y delgado que me atiende, dice que el viejo murió hace poco más de tres años. Me desesperanzo. Pido el mismo cuarto que Ana y yo habitamos. Está intacto. Me adentro en el recuerdo más importante de mi vida: veo las maletas, su cuerpo desnudo, la ropa que se ha quitado olorosa a nuevo y a lujo, su miedo a la entrega, me veo descendiendo desde mis más altos sueños hasta su cuerpo para penetrarla y depositar en ella mi afán de ser en su interior. Ahora pienso: ¿cuáles sueños?, ¿cuál penetración? Ana solo ha sido el testigo contratado para comprobar mi soledad. Si hoy estoy aquí es solo porque te falta una mano y me he vuelto terco en querer saber qué demonios le pasó. Abandono el cuarto que me confunde y no me reporta recuerdos claros.

Recorro algunas partes a la orilla de la laguna, las mismas por donde anduvimos juntos. Con palidez se hace presente aquella su imagen cuando cortaba helechos; trato de visualizar sus manos pero la imagen se congela justo cuando su bota resbala y se hunde en el fanal; el recuerdo deja de avanzar, se queda estático, negándose a informarme. Nunca puedo recordar sus manos. Es inútil intentar regresar el tiempo: la memoria es demasiado vaga en su retorno. Me gustaría ver hoy a Ana aquí, ya no joven como antes, sino con esa depresión tan suya que la lleva a hundirse con la caída del sol para volar abajo, hacia la noche parda. Ella es siempre tan gris, tan parecida al día cuando se deshace, tan semejante al inicio de la oscuridad. Tengo la impresión de que Ana lo que quiere es desaparecer. Perdió la mano y podría perder uno a uno sus miembros hasta quedar en nada. No he dormido. Mi obsesión crece y me quita el sueño.

El camino de regreso es agotador. Llego a casa y temo que Ana me pregunte por mi ausencia. Tal vez piense que he estado viviendo un romance con otra muier. Sería interesante. ¿Cómo explicarle que fui en su búsqueda, que regresé el tiempo con el fin de encontrarla? Me ve entrar y no dice nada. Está ahí con mis hijos en la mesa del comedor armando un barco. De pronto los niños y ella me parecen una pintura del siglo XVI, algo que no pertenece a mi época.

Me percato de su existencia. Puedo asegurar que todos ellos conocen la risa y el llanto, que piensan, que están vivos, irremediablemente vivos a pesar de mi indiferencia. Veo cómo el afán puede ser plácido en la acción de construir una fragata: unen piezas, estiran y anudan hilos, tensan las velas. Se me ocurre que es en los niños donde puedo hallar la respuesta, sobre todo en Virgilio, el mayor. En cuanto la diversión termine y él vaya a su cuarto le preguntaré escuetamente. Ana parece no poder anudar un hilo. ¡Cómo tardan! En su concentración y embeleso alargan el tiempo. Son más de las doce de la noche. Por fin cada quién va a su dormitorio, dulces y cansados.

Entro a la habitación de Virgilio. Sí se sorprende y me pregunta con angustia si me pasa algo. Le digo que no... y lo acaricio. Me siento en su cama. Descubro que Virgilio es blanco y melancólico, muy parecido a Ana. Mis otros hijos también se parecen a ella, de mí no tienen ni un sello como si solo fueran sus criaturas. Virgilio y yo nos miramos con gran intensidad. Ahora recuerdo que un día me preguntó por qué Dios hace pedazos de hombre. Seguramente él siente que su madre es uno de esos tantos sueños de Dios inacabados, un simple fragmento, algo trunco. Él debe imaginarse tantas cosas acerca de esa mano, porque los niños siempre fantasean, saben mirar cosas en un papel blanco y en los desiertos son capaces de ver mundos vastos de imágenes. Donde no hay nada ahí lo ven todo. ¿Qué verá Virgilio en el lugar de la mano? ¡Si me lo contara! No me atrevo a cuestionarlo. Le pregunto: ¿Los ayudó bien tu mamá a armar el barco? ¿Es realmente hábil a pesar de...? Y lo único que responde es: "Sí, muy hábil y tiene mucha paciencia". Nada decimos acerca de la mano. Lo beso y me retiro. Creo que nunca antes lo había besado.

He decidido visitar a la madre de Ana y a sus tías. Son mujeres viejas y hablantinas que no hacen otra cosa más que referirse a Ana como si se tratara de un personaje legendario; hablan de su belleza, de su horadante carácter, de su híbrida personalidad. Soporto la cena escuchando todo lo que dicen como si fuera una revelación. En sus voces, Ana resulta un ser dotado de todas las contradicciones. Dicen que es misteriosa, inteligente. Sí, seguramente lo es, por eso me casé con ella: siempre me han gustado la i nteligencia y el misterio. No hablan de ningún accidente y nada de lo que dicen revela la información que busco. Se refieren a Ana en muchos aspectos, con un tono que produce un gran disgusto. Advierto que tratan de convencerme de que es fascinante. Pido el álbum familiar y nuevamente mis ojos revisan fotografías suyas: Ana a los seis meses; Ana pequeñita, desnuda en la antigua bañera; Ana en el columpio; en la fuente; montada a caballo acompañada de su padre; Ana en el funeral de su abuela. Es siempre Ana en diferentes edades y sitios. Ana y el bosque. Ana y el mar. Ana y Venecia. Ana dormida, y en esta foto se puede apreciar el hombro izquierdo semidesnudo y parte del brazo, pero este se pierde debajo de la almohada sin permitirme ver si la mano existe o no. Es inútil. Todas las fotografías están tomadas del perfil derecho. Descubro que en algunas fotos Ana tiene una mirada herersiarca. Esto revela que Ana le vendió su mano al diablo a cambio de esta obsesión mía que nunca se acaba. Sí, cambió su mano por esa su habilidad de vivir conmigo a la manera de una estatua que ni sufre ni se alegra. Ana no es otra cosa más que un pacto con el demonio y de ello proviene su forma invisible e incomprobable de hacerme daño. Pero no, en algunas fotos aparece dulce, encantadora. Es difícil definirla. La búsqueda de un testimonio me obsesiona cada vez más; me siento enfermo, febril. Veo el rostro de su madre y encuentro en él la fenomenología del silencio, la maternidad arrepentida. Me mira fijamente como tratando de decirme que sabe que ha parido un monstruo, un ser dulce y suave capaz de las mayores atrocidades; un ser manco y taciturno. Trato de convencerme de que en realidad no es importante averiguar qué pasó con su mano. Si nunca me había fijado suficientemente en su ser, es ridículo que ahora presta tanta atención a uno solo de sus miembros. ¡Maldigo la hora en que me di cuenta de su carencia! Regresaré a mi casa como todos los días y no volveré a cavilar en esto. De pronto se me ocurre que al llegar a casa encontraré a Ana tocando el piano. Vista de espaldas será la imagen misma de la languidez. Volteará a sonreírme, y con sus dos manos, sanas y salvas, reales, absolutamente reales, se acomodará sus cabellos. Yo respiraré profundo y disfrutaré de una paz interior que me llevará a tomar el hacha y dejársela caer sobre la mano izquierda cuando esta empiece a tocar unos acordes. Imprimiré así, de un tajo, la dimensión de mi soledad hoy en calma. Un grito, un chorro de sangre y la mano ahí tirada bajo el piano. Pero... ¿qué estoy pensando? Alardeo de una fuerza de odio que jamás tendré. Me atormenta el admitir que ni siquiera soy el autor de su carencia. ¿Quién es entonces? Vuelvo a lo mismo, al estupor y a la elucubración.

Regreso a casa y a la manera de un rumiante repaso todos los momentos de su vida. Su imagen cae en mi estómago, me recorre las venas y se agolpa en mi cerebro. En este estado llego a casa. Abro el garaje... la mano de bronce que está en el portón me llama la atención irresistiblemente y mis dedos van hasta su encuentro, la palpo, la aprisiono. El bronce es frío y golpea la madera; los toquidos son monótonos pero paulatinamente adquieren una sonoridad atávica. La mano se va calentando hasta que tengo la impresión de estar llamando a la puerta con una mano viva, ardiente.

Memoria y olvido

Zarceo vive de acuerdo a su nombre. Su abuelo, creyente en la influencia que el nominal tiene sobre el destino de cada ser humano, decidió llamarlo así para marcarlo con las tres acepciones del verbo zarcear: limpiar los conductos y cañerías introduciendo zarzas largas y moviéndolas para que despeguen la toba y otras inmundicias; entrar el perro en los zarzales en busca de caza; andar de una parte a otra, cruzando con diligencia un sitio.

Zarceo, cada vez que lo cree prudente desobstruye sus conductos interiores, despega el cochambre atestado por la inactividad y la confusión. Siempre que lo hace consigue fluidez de pensamiento, tamiza sus ideas, guarda para sí las que son brillantes y excreta aquellas sin valor, adecuadas para dialogar con los amigos y ejercitar esa faena llamada "comunicación", el mejor de todos los artificios para simularse y ocultarse.

El perro que trae en la entraña, de buen olfato, de

estético agazapamiento y atinado salto, lo suele soltar con acierto en las espirituosas cacerías, propias de hombres refinados que asaltan al mundo para obtener todo lo que es necesario o conveniente. Así se ha hecho de una esposa, de un trabajo que lo surte de dinero, de un crédito publicitario que aumenta su prestigio, de un sillón y de un cepillo de dientes.

Sabe estar presente de lleno en cualquier espacio. Sube y baja, va y viene con pasos largos o cortitos según sea la emoción adjunta al propósito; se sienta, se levanta, camina alrededor de sus interlocutores, se cuelga de la lámpara o se pega a la pared como un fascinante cuadro. ¡Pequeños esfuerzos para nunca ser inadvertido!

Ha sido muy cuidadoso en la selección de sus amistades. En su discriminación prefiere a aquellos de inteligencia fugaz, intelectuales cometas que por doquier pasan su cauda de relucientes aforismos y metáforas sin lograr modificar siquiera el parpadeo de los ignorantes que encuentran a su paso.

Físicamente, sus amigos deben ser peculiares: muy largos en la verticalidad de sus ensoñaciones o muy anchos en su conchudez; de piel negro mate o magenta; de ojos saltones más espantables que espantados, o muy hundidos tras de ojerosos telones que aunque abiertos nunca libran la caja mágica del escenario íntimo y su drama. Le gustan híbridos y monstruosos, por ejemplo los que tienen tres o siete cabezas, y que por lo tanto son de izquierda, del centro y de derecha simultáneamente sin fallar a ninguna de sus posiciones políticas. También gusta de los seres amorfos o incompletos, monópodos y cíclopes, los de epidermis leonada o cubierta de escamas, y sobre todo aquellos que tienen por lengua una elegante cobra. Algunos son más grotescos que otros, y los hay tan complejos y misteriosos que es de gran gesta el describirlos.

Hoy ha reunido a los favoritos de su estima para mostrarles su más reciente invento científico: un extractor de memoria. Zarceo siempre se esmeró por recordarlo todo. Imágenes, sonidos, olores, sensaciones, actos, sentimientos y todo tipo de experiencias los tiene perfectamente registrados en su memoria. Se ha valido de distintos sistemas de clasificación, ya temáticos o cronológicos, especificando la intensidad de los recuerdos, sus significados, poder de influencia, fuerza frustrante y jerarquía según su importancia y trascendencia.

Pero resulta que Zarceo padece una extraña e injustificable tristeza –al parecer pescada en un camión urbano al igual que la gripe– que ha venido a quitarle el apetito de vivir. Ha decidido dar fin a su existencia, pero desde luego se ha preocupado por inventar un nuevo tipo de suicidio. Como para él la memoria es la vida, decidió que no hay muerte mejor que la mente en blanco. Sin recuerdos no hay corazón que funcione y eso le garantiza un paro cardíaco. Fantástica forma de morir, rápida, sin posibilidades de exponerse a una larga agonía.

Así lo ha comunicado a sus amigos quienes apuran las copas de cognac y derraman lágrimas antelando el luto doloroso por la muerte muy próxima de su entrañable Zarceo. Ahí están boquiabiertos ante el nuevo invento científico, el extractor de memoria. Un gran recipiente de cristal en forma de oso hormiguero cuya trompa está conectada a la boca que Zarceo, succiona con ritmo doloroso; el suicida sopla y arroja bocanadas de recuerdos.

Ahí va el instante de su nacimiento; la teta magra de leche venenosa que le dio sustento; ahí va su madre, especie de Clitemnestra, repulsiva de su brótalo; ahí va papá suavecito con su sombrero canasto repartiendo pan por la tarde. En el recipiente cristalino gira todo lo aprendido en la escuela, números y letras revelando los misterios; llantos, rezos y carcajadas; caricias y angustias; los largos malabarismos que impone el manejo de situaciones; la resistencia a las peripecias; los dinámicos saltos de hombre tigre por encima de obstáculos; ahí va Zarceo usando sus máscaras, escamoteando las fuerzas enemigas, ya repta o vuela, actúa tragedias y melodramas, se mueve con tino y desatino; se le ve resonante o callado, opaco o luminoso, ya engulle o vomita; todo lo vivido en tantos años se desprende y cae tumultuoso en el extractor.

Según Zarceo, no hay nada más que expulsar. Piensa que se avecina el gran blanco de la mente, la acorazadora nada. Solo que... un brutal dolor que viaja de la cabeza al corazón y viceversa le indica que algo le ha quedado adentro, algún olvido. Se trata de Beatriz, aquella mujer a la que amó sin lograr conquistar jamás. Sufrió tanto por ese amor frustrado que para poder seguir viviendo tuvo que olvidarla. No obstante que borró los recuerdos, la imagen de Beatriz viajó a su subconsciente y ahí encontró acomodo, vallada con atemperante olvido. Zarceo no logra aceptar que ese residuo que late en su interior no es más que la olvidada Beatriz.

Ante sus gritos atroces, los amigos policéfalos e híbridos discuten si habrán de dejarlo en tal agonía o si será conveniente devolverle los recuerdos en una cucharadita cada media hora, a manera de jarabe, y poder así reintegrarlo de nuevo. De nada le sirve el vacío si no es total. La discusión es larga, no hay acuerdo, y mientras tanto, en lo profundo de Zarceo, Beatriz se mece en su silla blanca y adquiere la espectral fuerza de lo olvidado; así prolonga la agonía. El suicidio se frustra. Contrariamente al plan de Zarceo, es el olvido y no los recuerdos lo que lo mantiene vivo.

Polifemo

El incendio acabó hasta los cimientos con la refinería de aguardiente La Fabulosa, tornando en cenizas a sus moradores. Solo sobrevivió el venturoso Junio Cantoral, hoy célebre en Galatea, este pueblito que por años ha sido tristón y miserable.

Huérfano a los siete años, se vio obligado a ganarse el pan como ayudante de Anubio, el gitano cuchillero. Si bien pasó muchas horas en la faena de afilar las hojas de acero azuloso, pudo también satisfacer sus inquietudes de andarín como vendedor ambulante de cuchillos, cercenaderas, machetes y navajas. Cuando Anubio se marchó heredándole su taller, él prefirió abandonar el oficio y tuvo que ingeniárselas para poder seguir viajando de Galatea a la capital y de allá para acá, siempre atraído por estos dos puntos tan distantes.

Buen bebedor por cuna y por nostalgia de la misma, se la ha pasado de cantina en cantina llorando su orfandad aun cuando era ya un cincuentón. "Sí, señores, les decía con esos tonos de depresión y de euforia en los que oscila la ebriedad, yo perdí a mis abuelos, padres, hermanas, tíos, primos y todos aquellos bienes que se llevó el fuego inclemente. Estaría solo en el mundo si no fuera por Polifemo, mi hermano menor, fallecido a los escasos tres meses de edad. Él es el único que tengo. Se salvó del incendio gracias a que en esos momentos de la catástrofe se encontraba en exhibición dentro de un pomo en la cantina La Curandera. Claro, hablo de sus restos, pero tan bien conservados en formol que su figura está intacta y parece como lleno de vida y salud".

Entristecido por los recuerdos bebía sin mesura y agregaba: "Se debió haber llamado Marzo ya que mi madre dio a sus hijos el nombre del mes en que vimos la luz, pero como el niño nació con un solo ojo en medio de la frente lo llamaron Polifemo al igual que el Cíclope de la mitología griega. Fue una lástima que muriera pues lejos de sentir horror, mi madre fascinada por la hermosura única de su mirada verdegris, sintió gran predilección por él. Mi hermana Enerito también se esmeró en mimos y cuidados. Obvio es que con tanto amor hubiera crecido robusto y dichoso. De todos modos nació predestinado al cariño y todos mis paisanos lo quieren mucho, especialmente Rutilo, el dueño de La Curandera (quien por fortuna lo considera el tesoro de su cantina. A pesar de que no es fácil llegar a esa mi añorada Galatea por estar oculta tras los cerros del cardonal, de todas partes del mundo llegan personalidades a verlo. Si ustedes quisieran hacer lo mismo con gusto los acompañaré, solo que... tendrán que pagarme los gastos del viaje porque como ustedes saben yo perdí toda mi fortuna en el siniestro".

Siempre resultó fácil que los briagos estuvieran dispuestos a cambiar de cantina, de la metrópoli a un pueblo, en la aventura de ir al encuentro de algo insólito. Por consejos de Junio Cantoral se abastecían de botellas de licor para no pasarse en seco el largo trayecto en tren y hacer más soportable la caminata por los tres kilómetros polvorientos que llevan de la estación a la impróspera Galatea.

En cuanto Junio Cantoral entraba a La Curandera con sus fatigados acompañantes ávidos de asombro, Rutilo el cantinero les daba la bienvenida con unas cervezas heladas buenas para la cruda y para estimular el apetito de unos tragos más. Una vez refrescados y habiendo pedido la primera botella de fuerte, Junio, en tesitura de tenor, lanzaba la eufórica orden: "Tráiganme aquí a la mesa a mi hermanito Polifemo que quiero presentárselo amis amigos".

Rutilo, haciéndose el interesante y con orgullo fingido,

explicaba que el Señor Presidente de la República, interesado en conocer a Polifemo, había mandado por él con la promesa de devolverlo en unos cuantos días.

Los viajeros decepcionados se daban al trago obligados a permanecer en Galatea por lo menos 72 horas hasta la próxima corrida de ferrocarril. En tal circunstancia Junio tenía la oportunidad de mostrarles los orgullos del pueblo: la antigua noria fuera de uso, la piedra natural en forma de toro tan perfecta que parece tallada por manos de artista, la única casa de dos pisos que por cierto es de Rutilo y el burro más viejo del mundo que ya tenía 52 años y al que han apodado El Inmortal. Los viajeros pensaban que excepto por Polifemo y por el asno, Galatea no es más que un pueblo aburrido y sin gracia de Dios. No habiendo nada más que ver se la pasaban en La Curandera comiendo fritangas y bebiendo hasta el cansancio. Entonces Junio procuraba entretenerlos con diversas historias que podrían justificar el extraño nacimiento de su hermano. Según él, las narraciones míticas y legendarias pueden afectar la realidad presente ya que sus esencias tienen el poder sobrenatural de transferirse en los acontecimientos actuales.

"Miren ustedes –les decía convencido– Galatea, la

más dulce de las Nereidas, fue el objeto de amor del cíclope Polifemo. No es de sorprender que en este Pueblo cuyo nombre es el mismo de su amada y siendo tan bello como aquella, él haya reencarnado con el fin de continuar su historia amorosa. Aunque ustedes no lo crean, cuando hay luna llena se escucha una dulzaina, instrumento que usó el antiguo Polifemo para hechizar a Galatea; la música es tristísima, una verdadera queja del corazón, pero nadie ha podido hallar de dónde viene. A veces los caminos amanecen regados de flores y en el aire flota un delicioso olor a miel. Estos fenómenos sin aparente explicación hacen evidente que su espíritu se aloja en el cuerpo de mi hermano. Cabe también otra razón: desconocemos el origen de mi tatarabuelo materno, solo sabemos que emigró en busca de aventuras y que al perder un ojo por mal de cataratas decidió quedarse a radicar aquí. Yo me supongo que él era originario de Arimaspos, ese pueblo fabuloso situado en la región del mar Caspio cuyos habitantes tenían un solo ojo; sí, aquellos que luchaban con los grifos por el oro. De ser así, entonces mi hermanito es el último descendiente de los arimasposeos".

Sus hipótesis provocaban controversias y acaloradas discusiones así como nuevas inventivas y razonamientos. No faltaba alguno, por cierto siempre el más borracho, que negaba toda posibilidad de vínculo con el pasado y el extranjero, afirmando que Polifemo es un fenómeno puramente mexicano, ya que en este país todo puede suceder.

Al llegar la hora de partir, Rutilo le daba unos buenos pesos de comisión a Junio Cantoral por sus dones de mitómano, buen embaucador y por contribuir al éxito de su cantina. A su vez, los acompañantes le pagaban el viaje de regreso a la capital. Todo el pueblo sabía que Junio era un mentiroso, pero gracias a él Galatea tenía visitantes y eso ameritaba apoyarlo. "Dentro de algunos días –decían– ya estará aquí Polifemito. Vuelvan para que lo conozcan, les va a encantar". Y cuando algunos regresaban acompañados de otros curiosos, el pueblo se mostraba indignado contra el Presidente que aún no devolvía a Polifemo por andar mostrándolo de país en país como una de las maravillas que produce México. Muchos sospecharon que se trataba de un timo pero volvían por costumbre y por el deseo de rodearse de amigos en una cantina lejana a sus hogares en la que se bebe a gusto. Otros mantuvieron la esperanza de que algún día los de Galatea recuperaran al Cíclope.

En una ocasión Junio Cantoral regresó solo a Galatea. Venía herido por un amor imposible. La mujer de sus ensueños, que mucho lo seguía a causa de sus fascinantes historias, se negaba a casarse con él por el temor de tener un hijo unióculo, pues no sería extraño que eso fuera hereditario. Desconsolado, se arrinconó en una mesa, bebió hasta anestesiar sus penas y se quedó dormido. Cuando despertó tuvo la sensación de que la luz había aumentado su intensidad al grado de provocarle un profuso lagrimeo. Advirtió también que ahora abarcaba un mayor campo visual. Finalmente se dio cuenta de que sus ojos habían desaparecido sustituidos por un gran ojo verde oliva situado en la frente. Cíclope por obsesión.

Nunca más quiso salir de Galatea y el bueno de Rutilo, compadecido de su estado, lo adoptó como hijo predilecto. Le ha dado una mesa para él solo, situada junto a un ventanal ampliado especialmente. Ahí bebe a sus anchas y como un taciturno de pecera sonríe a los niños que lo miran desde la calle. Está obligado a beber con todos los visitantes que hoy se cuentan por centenas. Ha perdido su nombre y ahora lo llaman Polifemo II. Él se deja observar y para mostrar que es inofensivo procura tener la mirada lánguida. Ya no es tan platicador como antes, si acaso solo suele decir: "Lo heredé de mi tatarabuelo materno que de seguro vino de Arimaspos. No sé si es cosa de genes o de sueños, pero sucede".

Los mimos vacíos

"Toda grandeza es susceptible de terminar en tragedia, y para comprobarlo basta recordar que Alejandro Magno destruyó Persépolis. No obstante, a pesar del fuego y de los siglos, ahí en los vestigios está presente aquel pasado esplendor. Uno lo respira en los azulejos hechos trizas o hasta en el mural más pálido. Basta ver un cimiento desmoronado para que la mente reconstruya de inmediato la magnificencia de una asombrosa metrópoli. El único arte que vale la pena (me refiero a la gloria que merece el sufrimiento invertido en toda creación) es aquel que puede vencer al tiempo. Pero tú... has elegido mal, muchacho; eso de ser mimo conlleva la tragedia inmediata de lo efímero. ¿Qué es un gesto humano comparado con el arte arquitectónico? ¿Cuánto dura un gesto y cuánto trasciende?"

Lo anterior me lo dijo un amigo de mi padre, un viejo zorro y alcohólico, cuando discutíamos sobre mi vocación de mimo. Tenía los ojos irritados, llorosos y una angustia sórdida se le agolpaba en la garganta. Me clavó sus ojos compasivos y agregó: "Mimo... ¡qué lástima! Un arte que comienza y termina en el instante".

Gracias a sus escépticas reflexiones, desde que inicié mi carrera tuve conciencia de que la mímica, así como el teatro y la danza, es una manifestación momentánea, un arte fugaz cuyo tiempo de vida se limita a lo que dura la función y a la permanencia del impacto que esta causa en el público. Es un arte repetible, renovable mientras se tenga vida para ejercerlo y memoria para recordarlo. Cuando yo muera y mueran todos los espectadores que me han visto, sé que no quedará nada. Reconozco que, por principio, su medida se basa en lo que dure mi existencia. Solo por eso le temo a la muerte. Mientras tanto, actúo diario, el mayor número de horas posibles y con toda intensidad.

Comencé trabajando en la calle, en mercados, parques y atrios hasta que heredé un viejo edificio que acondicioné como teatro y escuela, espacios de trabajo exclusivamente dedicados a la mímica.

Me he entregado a la enseñanza con el deseo de prolongar mi experiencia artística a través de emociones y técnicas trasmitidas a otros seres que cuentan con su propio tiempo de vida. No niego que ello refleja mi angustia ante lo efímero y una terrible ansiedad por buscar una forma en que las actuaciones se vuelvan imperecederas.

Hace tiempo, durante dos años hice que me tomaran fotografías de cada uno de los momentos gestuales de mis numerosas actuaciones; con ellas formé unos libros, y al pasar la vista rápidamente por todas esas imágenes, uno puede casi adivinar el movimiento y vislumbrar una secuencia de gestos e intenciones. Después conseguí una linterna mágica y fascinado jugué mediante ella con mi propia imagen. Lamentablemente alguien robó los libros, las placas y el aparato óptico. Desconozco su destino pero he mantenido la esperanza de que el latrocinante los conserve.

Estaba de nuevo a punto de recurrir a la fotografía cuando me enteré de que unos hermanos excéntricos, de apellido Lumière, recientemente inventaron una máquina diabólica que reproduce las imágenes de la realidad con todo y su movimiento. Pensé que eso sería imposible y sin embargo es verdad. ¡Qué prodigio! Si mucho me asombró ver mi imagen saltarina a través de la rendija de la linterna mágica, mi perplejidad no tuvo límite ante el cinematógrafo de los Lumière. ¿Magia o ciencia? No me importa lo que sea, lo cierto es que con mis propios ojos vi la demolición de un muro, y luego a una multitud de obreros saliendo de una fábrica. Algo que sucedió, algo del pretérito, el tiempo capturado, permanente en vida. Y es posible ver y revivir esos sucesos del pasado cuando uno quiera y cuantas veces se nos dé la gana.

Vendí mis pertenencias más valiosas con el fin de obtener el dinero suficiente para pagarle a los Lumiére la filmación del mejor de mis espectáculos: Reflejos.

Entre las decenas de estudiantes que asisten a mi escuela, solo Basilio tiene facultades sorprendentes. Un día lo descubrí tras bastidores imitando mi actuación con tal rapidez y exactitud que sentí que él era simplemente mi reflejo. ¿Cómo un niño de siete años tenía la capacidad de proyectar emociones tan complejas? Es cierto que me imitaba, pero aún para eso se requiere de gran sensibilidad, de técnica y práctica, además de un profundo conocimiento sobre el comportamiento humano. Basilio es un niño genio y por tal razón decidí montar este espectáculo con él.

En esta obra interpreto a un hombre que se descubre ante el espejo, este representado por Basilio. Ahí, reflejado, deja fluir todas sus emociones, pasa de la realidad al sueño y del sueño a la realidad, de la fascinación de contemplarse hasta el horror de sí mismo. De pronto el reflejo se rebela, se vuelve otro con vida propia, con gestos personales, y el hombre pasa a ser el reflejo de aquel. Aturdido por la pérdida de identidad, destruye el espejo. Arrepentido trata de reconstruirlo pero resulta imposible unir los numerosos añicos. El hombre se hunde en la soledad.

Realmente la anécdota es simple pero ofrece un rico campo de actuación y tiene tantas transiciones gestuales, que tal parece que toda la humanidad convergiera en un solo reflejo. Louis y Auguste parecieron convencidos de que valía la pena de filmarse. La nueva perspectiva me llenó de excitación y como durante varias noches padecí de insomnio, la víspera de la filmación decidí tomar un té letárgico para poder al día siguiente estar cabalmente dispuesto a una actuación esmerada.

Dormí profundamente y cuando desperté tuve la sensación de vacío en el rostro y tenía los músculos tan muertos que era incapaz de lograr la más mínima gesticulación. Ya frente al espejo descubrí que todas mis expresiones habían desaparecido y mi cara era una especie de máscara inanimada, sin el menor asomo de vida. En ese momento supe que un rostro es algo más que la carne; es ante todo la sustancia etérea que lo anima, algo similar al espectro solar, a una energía cósmica que amoldada a la forma facial proyecta emociones, ideas y todo cuanto el alma es. ¿Qué pudo haber pasado? ¿Cómo fue que se extraviaron los haces luminosos de mi espíritu que eran la causa de mi expresividad? ¿El té letárgico los desvaneció? No, no era posible. Todos sabemos que las flores de azahar y de tila resultan inofensivas; son relajantes, acaso somníferas sí, pero no combaten el alma ni la destruyen. ¿Acaso alguien pudo extraer mi esencia?

¡Extraña sensación la de estar vivo sin hálito alguno!

Sumergido en este acontecimiento insólito me fingí enfermo para suspender la filmación y las funciones teatrales. ¿Qué puede hacer un mimo vacío de expresión? Avergonzado y torturado en el asombro ante lo inexplicable, me encerré por semanas en mi habitación y solo a mi sirviente lo enteré del caso. ¿Por qué sucedió esto ahora, cuando estaba a punto de eternizarme mediante el cinematógrafo? ¿Cómo soportar que mi experiencia artística concluyera antes de mi muerte? Y a pesar de eso, seguir viviendo, vivir...

¿Para qué? Sentí el impulso del suicidio pero me detuvo el ansia de conocer el enigma. Me aislé en mi cuarto. Soporté el estatismo de mi rostro, símbolo de la nada, y después me entró una calma llena de imbecilidad.

Desde mi ventanal contemplé, una tarde, cómo la llovizna bañaba la ciudad de París. Observé a la gente con sus rostros húmedos y expresivos, y movido por una gran nostalgia salí a la calle como si en ello fuera a encontrar la reconciliación con la vida. Ya oscurecido y al arreciar la lluvia, la gente se resguardó en los interiores y las calles quedaron casi vacías. Caminé sin rumbo fijo hasta que un áspero cansancio me obligó a sentarme en el parque. No pensaba en nada, permanecí quieto sin sufrir y sin ninguna alegría, solo sintiendo el rigor de la tormenta. Un hombre pasó a mi lado y se puso a observar los círculos concéntricos que efectuaban las gotas al caer en la fuente. Llevaba una botella grande, sumamente transparente y de forma lánguida, y en su interior advertí el rostro de Basilio. Incrédulo, me acerqué unos pasos y lo vi ahí adentro, tristísimo, como ahogado dentro de una lágrima. Luego, al darse cuenta de mi presencia, agrandó sus ojos y gesticuló un grito insonoro. Me pedía auxilio pero yo preferí retroceder y ocultarme entre los árboles.

El viejo seguía absorto en su contemplación. Después de unos minutos se encaminó hacia el sur. Sin vacilar, con toda la cautela posible seguí sus pasos por varias calles. Se metió a una casa semidemolida y seguramente deshabitada. Esperé un tiempo, en ninguna de las ventanas se encendió la luz y supuse que ese hombre tenía el hábito de las tinieblas. Momentos después volvió a salir, ahora con otra botella, vacía. Caminó a lo largo de la calle y cuando dobló en la esquina, consideré prudente entrar en la casona. La puerta sin llave me concedió el paso a ese ámbito de oscuridad y derrumbe. Prendí el encendedor y pude vislumbrar los espacios vacíos. Subí por la escalera rechinante y de textura podrida. Me quedé pasmado cuando vi que a todo lo largo del pasillo había cientos de botellas con rostros atrapados en su interior. Espectáculo magnético; vivía yo una fascinación fantástica y sin embargo verdad era. Alumbrando uno por uno me di a la esperanzada tarea de encontrar mi propio rostro, y cuando por fortuna lo hallé, me miraba con la expresión de todo cuanto yo estaba sintiendo. ¡Ahí estaba mi esencia, mi hálito, mi expresividad! Al tomar la botella en mis manos y recuperarlo, me atacó una fiebre. No obstante que los rostros me atraían con sus gestos únicos y sorprendentes, no me detuve a mirarlos con la atención que merecían. Pasé de largo iluminándolos con la mesurada llama hasta que encontré el de Basilio. Con las dos botellas bien sujetas salí presuroso y una vez afuera comencé a correr. El cielo se había despejado y por las calles, en paso menos urgente que el mío, el agua escurría por el pavimento arrastrando los múltiples reflejos de focos y anuncios temblorosos y distorsionados.

Avanzaba aún impactado por el hallazgo. Aquello era un museo inverosímil que me había dejado sin control, aturdido. ¿Cómo era que ese hombre dedicaba su vida a ello? Y más importante aún, ¿cómo lo lograba y para qué? Tenía una inmensa curiosidad de conocerlo, de investigarlo, pero impulsado por el miedo solo pretendía la huida. Buscaría a Basilio y tan pronto como reintegráramos nuestros rostros al cuerpo dejaríamos París para siempre.

Así, pensando, haciendo mil conjeturas y encarrerado a un ritmo de temores, estremecido y torpe en el escape, resbalé y al caer se quebraron las botellas. Los rostros flotaron en la corriente de agua que se deslizaba cuesta abajo, se golpearon contra el canto, se mezclaron entre sí y con los reflejos de las luces de la ciudad. Desfigurados, alargados, rotos, se notaban alterados en el pánico. Finalmente, disgregándose, casi diluidos se precipitaron por la coladera. En vano todos los esfuerzos. Los perdí definitivamente.

VAGO ESPINAZO
DE LA NOCHE

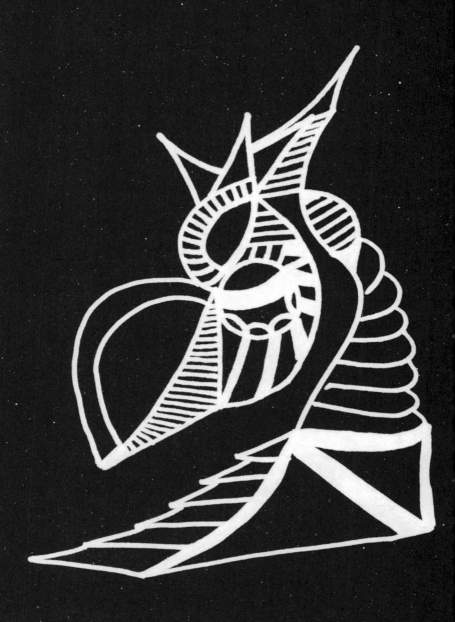

Vago espinazo de la noche

Al principio yo no quería hacerlo pero fui seducido por la idea. El pacto suicida surgió en el orfanato después de que Don Saturnino, el prefecto, nos castigó con un baño a manguerazos de agua fría. Nos mantuvo desnudos en el patio, secándonos bajo la mortecina luz de una luna menguante. Estuvimos ahí durante horas, cansados de tanta temblorina y asqueados por el hedor que nos llegaba de la pocilga en la que agonizaba una cerda. Por la desnudez, el frío quemante, la neblina que todo lo entristecía y los estridentes gemidos del animal, nos sentimos más huérfanos que nunca.

Nos castigaron por poner sal en la azucarera de los maestros. Tal irrisoria travesura no merecía ese duro escarmiento. A las cuatro de la mañana entramos al dormitorio y entre gimoteos y risas de rabia discurrimos en cómo vengarnos. Ignacio, de once años y el mayor de todos, nos convenció de que lo mejor era morirnos, quitarnos la vida para que Don

Saturnino por el resto de sus años cargara con la culpa de este suicidio colectivo.

Ignacio era hijo de un curandero y sobrino de una espiritista. Presumía de tener contacto con el más allá y conocimiento sobre los rectos caminos de la muerte, así que hicimos todo cuanto dijo era necesario. Nos enseñó a invocar a la Muerte mediante rezos en idioma extraño, con el fin de que no llegáramos a ser tristes ectoplasmas apegados a la tierra, sino espíritus puros, iluminados y elevados. Con bellas palabras nos dibujó la existencia del Vago Espinazo de la Noche conformado de polvo de luz y de armoniosas constelaciones. Fue fácil imaginarnos esa inmensa y luminosa osamenta brillando en la negrura del firmamento. Nos prometió que por ella ascenderíamos a Dios: iniciaríamos ese viaje por el cóccix e iríamos trepando por las vértebras. Durante el ascenso nos serían revelados misterios inimaginables. Al alcanzar las cervicales podríamos entrar al cerebro de Dios. Eso nos dijo.

A todos nos pareció una aventura fascinante y con obediencia y devoción seguimos las órdenes de Ignacio. Durante ocho noches, los cinco compañeros tomados de la mano y con los ojos cerrados, rezamos las letanías indicadas. A hurtadillas nos llevó al laboratorio a robar cuatro frascos de éter. Al noveno día, ceremoniosamente, hicimos el pacto. A cada uno, Ignacio nos dio a masticar cinco bolitas de mezcalina y a grandes tragos bebimos el éter.

A pesar de los vómitos el efecto fue inmediato. Recuerdo el mareo, el zumbido y la terrible visión: el inmenso espinazo gravitaba en el universo, iluminado por sus propios cuerpos siderales. Ahí estábamos todos escalando las primeras vértebras en el esfuerzo por no caer a causa de aquella viscosidad brillante. De pronto el miedo me paralizó y, mientras mis compañeros trepaban hacia la cabeza en busca de la inteligencia numinosa, yo, atraído por una fuerza maligna, fui arrastrado desde el centro del espinazo hacia la cola, zona llena de partículas frenéticas. No sé por cuántas horas descendí por entre los huesos respirando oleadas de cortante diamantina, sangrando por boca y nariz. La armoniosa luminosidad y sus reflejos estaban muy lejos de mí, y yo, solo, quedé atrapado en el cóccix donde se gestan las miserias, el mal y el desconcierto. Preso en el terror me encontré entre los residuos del caos sin posibilidad de escapar y sin comprender por qué no logré el ascenso.

Cuando desperté en la enfermería no sentí ningún alivio sino la angustia de saber que mi esencia se quedó en aquella cósmica cárcel. Mis amigos murieron y quiero pensar que lograron llegar al cerebro de Dios.

Han pasado siete años desde que se fueron. Yo he sobrevivido desencantado con la realidad y humillado ante la Muerte que misteriosamente me rechazó.

Permanezco en la vida, ya crecido y aún marginado en el hospicio, con esta sensación de que la cabeza se me hincha cada vez más, zumba y se llena de agua espesa donde flotan o se hunden los astros del mal y del sufrimiento. Por haberme quedado vagando en la zona inferior del esqueleto del universo y, habiendo perdido la facultad del habla, todos aquí creen que soy un idiota; sobre todo eso piensa Don Saturnino cuando lo miro fijamente. Con asombro observo cuánto se agobia con sus culpas y cómo vive temeroso de los fantasmas, tal como lo planeamos. Sé que algo mortificante pasa en su conciencia, aunque cuando se refiere al caso, dice que solo fue una pendejada de chiquillos.

Nadie se imagina cuánto sufro y lo mucho que me esfuerzo por salir de esa concavidad estelar. Con una mezcla de compasión y repudio me llaman Bobo y me han destinado a barrer los patios. Cumplo con la rutina de sol a sol mientras mi espíritu instalado en el Vago Espinazo de la Noche lucha contra las miserias, esperando que estas desaparezcan algún día; sé que cuando yo ordene mi propio caos saldré de la cola y... vértebra por vértebra subiré, tendré acceso a la zona de polvo de luz y, como lo hicieron mis amigos, podré penetrar en el divino cerebro sideral del Bien y de la Inteligencia cósmica. Este es mi único anhelo: llegar a Dios.

En eso pienso cuando barro y eso sueño cuando duermo.

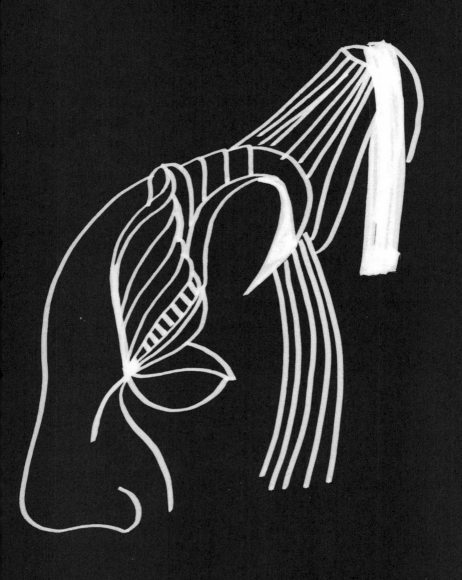

De todos los oficios

Mi padre, Anestesio Cimarroja, es un auténtico poblador obsesionado en procrear. Esa desmesura ha dejado entrever su miedo a la muerte. Poco se sabe de su origen, nadie indaga su pasado y todos le rinden pleitesía considerándolo el hombre más imponente de la villa.

Adriano y Dino Fermi se aventuraron a establecer una industria de vidrio y otra de textiles en Peña Blanca, pueblo fantasma de minas agotadas que estuvo por setenta años abandonado. Al principio fueron pocos los obreros que respondieron al llamado de los industriales. Mi padre, seguro de que el sitio ofrecería un futuro próspero gracias a la iniciativa de los hermanos italianos, fue el primero que se instaló aquí. Ambicioso y con fe tomó posesión de los cimientos de la casa mayor en la plaza central, convencido de su derecho a ello por su virilidad y disposición a tener numerosa prole para cooperar con la repoblación del sitio. Prometió educar a sus hijos en diversidad de oficios con la ilusión de convertirse en el patriarca de una familia capaz de dar todos los servicios necesarios a la comunidad.

En cuanto reconstruyó la cocina, el baño y uno de los dieciséis cuartos existentes en la ruinosa casona, se mudó a ella con su hermana Amorosa y con Incesto, el hijo de ambos. Mi padre detestó los nombres del santoral y los apellidos hereditarios; de niño se avergonzó de llamarse Anastasio Campos Ramírez y decidió hacerse nombrar Anastesio. Entonces no tenía mucha imaginación y para cumplir su capricho le bastó cambiarle solo dos letras a su nombre de pila. No sé en qué se basó para inventar el Cimarroja.

Cuando Amorosa llegó al pueblo venía embarazada y dos meses más tarde parió un niño que, por ser el primer nacido entre los pobladores de la apenas reanimada Peña Blanca, fue nombrado Fundador. Al poco tiempo mi padre sacó a una mujer del burdelito situado en la encrucijada adyacente a la estación del ferrocarril. Con ella, Peregrina Mil Pasos, tuvo siete hijas: Afortunada, Yerbanís, Fosca, Matutina, Ardente, Tersa y Hojarasca.

Al constatar que Peregrina solo servía para parir hembras, y con la necesidad de tener hijos varones, Cimarroja se fue a recorrer pueblos y llegó con cinco esposas más: Hallazgo le dio once hijos; Falsaria uno solo; Permanencia, catorce; Matizada, catorce también, y la más pequeña de todas, Vástaga, mi madre, llegó a tener dieciséis hijos de los cuales tres nacieron muertos. Creo que yo no quería nacer porque estuve atravesado en su vientre y vine de nalgas al mundo causándole tantos desgarramientos y hemorragias que perdió la vida.

Mi padre no lamentó su muerte, simplemente pensó que estaba agotada como las viejas minas. Pronto dirigió sus ojos hacia otras posibles paridoras. A muchas de las mujeres del pueblo las hizo sus amantes y las obligó a tomar harto té de prodigiosa, yerba que estimula la fecundidad. Tuvo así en cada barrio no menos de nueve bastardos, identificados como hijos suyos mediante nombres peculiares.

No contento con su prolífera descendencia y a causa de su actividad sexual disminuida, el viejo garañón viajó a la costa y reapareció con una mujer negra, cargada de ocho niños a quienes presentó como hijos propios. La verdad es que Reforcina quedó viuda y él aprovechó la situación para, de golpe y porrazo, aumentar la familia evitando el esfuerzo de la procreación y el largo proceso de los embarazos.

Nadie se ha atrevido a criticar su poligamia pues mientras la mayoría de la gente trabaja como obreros en las fábricas de vidrio y textiles, los

Cimarroja desempeñan oficios de gran utilidad. A los primeros hijos los instruyó como albañiles, plomeros, electricistas, canteros, herreros, jardineros y pintores para satisfacer las iniciales urgencias en la reconstrucción de la villa.

A ellos se deben las hermosas remodelaciones. Peña Blanca es famosa por sus fachadas de cantera rosa labrada, por sus calles de adoquín azuloso, sus ventanas biseladas, el colorido de sus vitrales, el herraje austero de los balcones, y sus techos artesonados. Admirables son los azulejos en los patios, bóvedas y cúpulas.

Los jardines de las casas y de los espacios públicos sorprenden por sus densas enredaderas de lilas wistarias y por la abundancia de piracantos en los prados. Las fuentes ostentan diversas esculturas zoomorfas y fantásticas; sin embargo no hubo alguno que se diera a la tarea de restaurar las viejas estatuas de los misioneros que hace trescientos años fundaron este pueblo. Carcomidas por el sarro y el excremento de palomas, las efigies son imagen del deterioro, acaso el único testimonio de cuando el pueblo abandonado dejó al garete del polvo y vientos a sus fantasmas solitarios. Solo ellas rememoran el pasado y el transcurrir del tiempo devorante.

Además del don de embellecer la villa, mi padre mucho se preocupó por consolidar todo tipo de servicios. Las hijas de Peregrina por años se han dedicado al lavado y planchado de ropa. Alegoría y Ópera atienden los hornos de pan y hacen frutillas cristalizadas en azúcar, dulces de leche y canela, rodajas de amaranto y jaleas de membrillo y zarzamora. Transparencia atiende la limpieza del templo y ayuda a Iconostasio a la manufactura de velas y veladoras; Asterisco es herrero; Saucino cumple como boticario homeópata; Sendero se esmera en la talabartería; Osana, Fósforo y Ceiba trabajan cajas laqueadas en madera aromática; Junco y Margorante son joyeros; Bridón tiene una cuadra de caballos; Orvallo y Almendrada se encargan del criadero de blancos y tornasolados pavos reales; los dos hijos mayores de Reforcina, Piélago y Mudéjar, atienden el ganado; Constelada es cartomaciana; Malta vende leche y corta el pelo. Perfectina y Mística son bordadoras; Mural e Hipóstilo se afanan en las huertas; Dosel es relojero; Anforita y el feminoide Cardenal visten santos y embalsaman muertos; Rumoroso hace lápidas y Alheña tiene un prostíbulo donde varias de mis hermanas encontraron acomodo.

Así todos, todos trabajan en cuantos oficios hay y quizá por eso y porque no fui motivo de inspiración fue difícil para mi padre encontrarme un quehacer y, como no se le ocurrió dónde colocarme, creí que mi destino sería la vagancia.

Desde entonces me dedico a la tarea de bufón provocándole carcajadas a mi padre que ya no sabe cómo zafarse del tedio. Harto ya de las mujeres, infecundo y viejo, suele llamarme a su alcoba para efectuar conmigo decadentes juegos sexuales: para mí, son más tristes que ofensivos.

Los malabarismos le divierten poco, y no contento con haberme despojado de los testículos me mandó a amputar el pie izquierdo y dos dedos de cada mano para divertirse mejor con mi torpeza y las dificultades que paso en la danza. Si bien en mis primeros años tuve el nombre de Orión, ahora me llama Parcial Saltimbanqui. En extremo ha sido doloroso soportar sus mofas e ironías. Mi rencor crece como fuego en el trigal. Por eso ahora que agoniza y suplica la presencia de todos sus hijos, me abstengo en llamarlos. A sabiendas de lo importante que para él sería el ritual de la despedida, le niego que su prole venga a rendirle un cálido homenaje.

En su agonía me empeño en que no tenga reconocimiento por su don de embellecerlo todo ni gratitud de los hijos por haberlos hecho hombres útiles y eficaces. Contemplo su condición de moribundo solitario. Danzo sobre mi único pie y, virtuoso en la gesticulación cómica, lo conduzco al horror de su última carcajada.

Más que fenicio

Nació comerciante de hueso colorado. Desde pequeño, este Eleuterio se dedicó a las transacciones sin necesidad de invertir dinero en la compra de mercancías. Vendía palabras, es decir, a cambio de unas monedas enseñaba palabras poco comunes y la gente gustosa pagaba por ello para poder presumir un vocabulario culto. Como en situaciones de apuro muchas de ellas eran inventadas, advertía que no las encontrarían en el diccionario ya que por tener poderes mágicos y significados ocultos, los herméticos se habían esmerado en mantenerlas fuera del uso popular. También vendió secretos y en ello demostró ser muy virtuoso en la intriga y la traición. A criminales arrepentidos y lacerados por el remordimiento les vendió garantías de estancia en el cielo. A los espiritistas charlatanes, se las ingenió para venderles fantasmas con el fin de que sus centros tuvieran la presencia de espíritus reales, librándolos así de fingir e idear truculentos simulacros de aparecidos. Astuto en sus ocurrencias comerció con las más insólitas y a veces intangibles mercancías y, cuando le entregaron las cenizas de su madre, las mezcló con hueso de mamey quemado y, en pequeños y finos envases de perfumería, las vendió como quejel, cosmético de alta calidad para delinear los ojos, fabricado con la experiencia de toda una vida.

Eleuterio, emotivo, de buenos sentimientos, nostálgico por su madre, suele llorar cada vez que a su paso encuentra a una mujer con los ojos sombreados

Jaculatorias e indulgencias

María llegó a la casa cuando nació mi hermano el mayor y fue su nana con ese estilo pueblerino tan lleno de arrumacos y consabidas bendiciones. Cuando vine al mundo hizo lo mismo conmigo, duplicó sus tareas sin diferenciarnos, como si mi hermano y yo fuéramos un solo cuerpo.

Lo que más recuerdo de ella son aquellos baños en las tardes que tenían el ritmo, el proceso y la calidad sagrada de un ritual. La plácida nana primero abría la llave del agua caliente de la regadera para que el vapor inundara el cuarto de baño. El chorro de agua hirviendo caía en la honda tina de peltre blanco en la que solía poner unas ramas de heliotropo y hojas de lechuga bien envueltas en manta de cielo. Paulatinamente se respiraba un aroma divino. Luego con una jícara vertía agua fría y con el codo comprobaba que la temperatura estuviera confortable al cuerpo y le agregaba un chorrito de alcohol y otro de agua bendita. En ese caldo lenitivo mojaba sus dedos para imprimirnos perfumadas señales de la cruz en la frente y en las plantas de los pies. En medio de aquella neblina olorosa y cálida nos metía juntos a la bañera; decidida, con un ayate nos tallaba la mugre y nos frotaba la cabeza para despojarnos de los malos pensamientos. Se quitaba una horquilla del cabello, la envolvía en algodón y con devoción y escrúpulos nos aseaba las orejas y el prepucio. Bien enjuagados nos frotaba el cuerpo con una loción preparada por ella misma y suavizaba nuestra piel con aceite de almendras. Envueltos de pies a cabeza en grandes toallas y tendidos en el suelo nos hacía rodar para que se nos masajearan las vértebras; eso nos provocaba un rico mareo. Después nos dejaba reposar unos minutos mientras ella pronunciaba sus jaculatorias.

Ya con los camisones puestos, nos llevaba a la cama en cuya cabecera siempre había una lechuga abierta, flor del sueño. Cumplíamos con rezar aquello del ángel de mi guarda mi dulce compañía y pronto quedábamos dormidos con el arrullo de sus oraciones en voz baja y con el ruidito de las cuentas de ámbar de su antiguo rosario. Así, ella supo crear los elementos de mi presente nostalgia.

María era muy eficaz y rápida en su trabajo. Despertados temprano, nos lavaba manos y cara con agua fría y era obligatorio cepillarnos los dientes con bicarbonato. El desayuno consistía en una polla de leche con canela, huevo y oporto dorado, de buen sabor y muy estimulante. Una vez bendecidos y encomendados a Dios nos acompañaba a la esquina a esperar el camión escolar. A las ocho de la mañana ya había barrido, regado la calle y el jardín, y en cuestión de minutos, la casa estaba lista y en orden. A la una de la tarde todo olía a su deliciosa comida que devorábamos al regresar del colegio. Dormíamos la siesta mientras ella daba lustre a los zapatos y planchaba la ropa que por costumbre había lavado de noche. Más tarde, en el jardín nos daba permiso de jugar con los aguacilillos, especies de arañas acuáticas que con sus rápidos movimientos garabateaban líneas luminosas en el agua. Nuestra mascota era una salamandra que María nos trajo de su pueblo. Después de cumplir con la tarea nos complacía con el baño. Todo era regido por un horario y sucedía de manera rutinaria, pero jamás sentimos aburrimiento.

No cabe duda que la flaca de María era una nana excelente, tanto que mi madre por confiarse en ella nos atendía poco. Su silencio y aislamiento no dejaba de preocupar a mis padres que siempre la tacharon de mujer de pocas pulgas. La verdad María era impenetrable, nunca fue dada a la conversación. Cuando salía a la calle lo hacía temerosa y obligada por necesidad; iba y venía como el rayo sin detenerse a brindar al menos un saludo a quienes se cruzaban con ella.

Lo más inquietante fue que a todos nos prohibió entrar a su cuarto ubicado en la azotea. Misteriosa, abría su puerta dejando un mínimo espacio por donde se escurría como rata vertiginosa y la cerraba de inmediato dando un portazo que se oía en toda la casa al igual que la resonancia de sus llaves; tenía ocho cerrojos que ella misma compró y mandó instalar. Mamá pensó que de esa manera cuidaba sus ahorros. Mi hermano y yo echamos vuelo a la imaginación y tuvimos varias teorías al respecto, desde luego todas basadas en que escondía algo amenazante y misterioso. Nuestra gran ilusión era poder entrar algún día a su cuarto y descubrir cosas fantásticas.

Por las noches, escuchábamos la sonoridad de cuando lavaba la ropa y la sacudía antes de tenderla en los mecates; seguía el impresionante portazo, luego las vueltas de cerrojos y por último sus jaculatorias rezadas entre cantos, gemidos y gritos rogando perdón al señor de los cielos. Mi madre la regañaba y hasta llegó a suplicarle que rezara en silencio, pero según ella, a Dios tenía que llamarlo fuerte para que pudiera oír su voz entre tantas otras voces que claman. Afirmaba que sin jaculatorias no hay indulgencias. ¿Qué pecados podía tener esa mujer que llevaba una vida tan rutinaria, sin dar cabida a ninguna otra experiencia que no fueran las de sus faenas domésticas? ¿Podría en su pasado tener alguna culpa nimia o aberrante?

Cuando María llegó a pedir trabajo no presentó ninguna recomendación. Fue aceptada, pero a la semana, para tener alguna base de confianza, mi madre le pidió que la llevara a su pueblo, una ranchería enclavada en la sierra. Encontró que sus padres y hermanos eran gente rara o al menos eso le pareció pues la recibieron amablemente pero sin decir una palabra. Todos sentados frente a ella se limitaron a mirarla con fijeza y cada vez que mamá intentaba decir algo le daban a tomar agua fresca de un jarro compartido de boca en boca. Cuando se despidieron, hubo inclinaciones y sonrisas. Nada se dijo.

En ocasiones la noche era desgarrada por los maullidos infantiloides de una gata siamesa, orgullo de nuestros vecinos y motivo de histeria para mi madre quien le ordenaba a María hiciera cualquier cosa para callarla. La nana solía arrojarle cubetadas de agua o palomas de pólvora, pero aquella noche de mayo, María se puso a gritar jaculatorias, recurso tan absurdo que en lugar de espantar a la gata, resultó inaguantable. Esta situación se repitió varias noches llamando la atención de mi madre quien subió a la azotea con la intención de matar al animal y correr a María. Mimosa, la siamesa, se encontraba dormida en la cornisa contigua y sin embargo, además de los rezos se oían los maullidos de una gata en celo y estos provenían del cuarto de servicio. María, al escuchar la voz de mi madre y sus estruendosos toquidos, elevó al máximo de volumen sus acostumbradas jaculatorias. No obstante que la puerta parecía a punto de ser derribada, María se negó a abrir, alegando que nadie tenía derecho de entrar a su habitación privada. Prometió bajar enseguida para dar una explicación de lo acontecido. Lo dijo temblando de miedo y rabia.

Mamá la esperó en la cocina y a los pocos minutos María bajó con bulto en los brazos. Era una niña recién nacida que lloriqueaba como gata en brama. "La parí hace nueve días", dijo con pena, y explicó que pretendía esconderla en el cuarto para siempre. Fue hasta entonces que entendimos por qué María desde hacía unos meses se quejaba tanto de que el agua estaba contaminada y que ya se había llenado de bichos. Nos mostraba aquella panza que le crecía y pensamos que seguramente tenía lombrices, no tanto por el agua, sino por su manía de atragantarse de pan con coca-cola. Ni por un momento se nos ocurrió pensar que estaba embarazada. Se le regañó por no habernos tenido confianza y por no pedirnos ayuda. ¡Dios, cómo fue a parir sola! En vano intentaron saber quién fue el padre y no quedó más que suponer que se trataba del cerrajero, el único hombre que subía a la azotea llamado por la misma María obsesionada en poner cerraduras.

Mis padres fueron los padrinos de bautizo de la niña y la llamaron Margarita. Obligados por la hostilidad de María no pudimos tener una relación cálida con ella. Creció aislada en el cuarto, la asoleaba allá arriba en un corral que le regalamos. Muy lejos estaba María de bañarla con las atenciones que nos daba a nosotros, simplemente oíamos el llanto de la niña provocado por el chorro de la manguera. Por insistencia nuestra, de vez en cuando, la bajaba a la cocina o a ver algún programa en la televisión.

Margarita era lo que se dice una niña sin ángel, arisca, con un no sé qué retorcido en su mirada. Emitía sonidos guturales desagradables y fue mi madre quien descubrió que era muda. Contra la voluntad de María la llevaron al doctor y éste diagnosticó que la pequeña estaba en perfecta salud física; sus trastornos eran psíquicos. No hubo manera de que María nos permitiera llevarla a terapia. Con ese "si quieren que siga trabajando aquí no se metan con mi hija" anulaba nuestros deseos de propiciarle ayuda y atención médica.

Con el tiempo comencé a criticar a mi madre. Me

repugnaba su posición acomodaticia. Era capaz de ignorar a la niña con tal de que la limpieza de su casa continuara como siempre.

Tuve una triste asociación de ideas: recordé el espanto que sintió mamá cuando descubrió un hongo en el madroño, su árbol preferido. Con gritos y pala en la mano estuvo a punto de destruirlo, pero se detuvo cuando le dijeron que el hongo, además de comestible, era de buena suerte. Entonces lo dejó estar, ser, crecer gracias a la reflexión de que todas las cosas están por alguna razón y, si le son molestas a uno, pues basta con no verlas. A Margarita la ignoraba al igual que al hongo sin dejar de considerar que su presencia en la casa representaba algún beneficio: el de los servicios de su madre.

Pasaron los años y nos dimos cuenta de que una voz infantil se unía a la inevitable y cotidiana retahíla de jaculatorias de María. Nos alegró saber que la niña había logrado hablar aunque nunca lo hiciera con nosotros. Yo tenía catorce años cuando Margarita cumplió los once. Se me ocurrió regalarle mi colección de hojas disecadas. Le mostré las diferencias de sus formas y fueron las verticiladas las que más le gustaron y con señas me hizo saber que le parecían cruces; todo lo relacionaba con cosas religiosas. Margarita olía mal, realmente su humor me asqueó y sentí rabia contra María por no cuidar de ella. A mí todavía me preparaba el baño con sus yerbas y me frotaba la espalda. ¿Por qué no lo hacía con su propia hija?

Escuché a mi madre reprender a María por negligente. Al hablar de cosas de mujeres lo hacían en voz baja, pero esta vez a gritos le dijo que seguramente Margarita ya menstruaba y que no le había enseñado el hábito de asearse. La indiferencia de María fue tal que mi madre con la determinación de "si no la bañas tú, lo hago yo" jaló a Margarita al baño venciendo los forcejeos de mi nana. Al desnudarla se impactó al ver que la niña tenía unos cilicios zahiriéndole los senos y los muslos. Una de las piernas le supuraba y era insoportable el hedor de la carne podrida. Las recriminaciones no bastaron para convencer a María de su estúpida crueldad pues ella intentó en todos los tonos aclarar las santas razones que la motivaban a los diarios sacrificios: "es hija del pecado y las jaculatorias no bastan para ganar indulgencias".

Contra la feroz lucha de María por impedirlo, logramos subir a Margarita al coche y la llevamos al hospital del que era director mi tío Bernardo. Entramos a urgencias y en breve mi madre se vio metida en acusaciones de maltrato de menores. Tuvo que firmar declaraciones comprometedoras y mi tío exigía la presencia de la madre para autorizar una grave operación. De inmediato fuimos a la casa y nos encontramos con que María se había ido. En el ambiente flotaba algo que nos aseguraba que la madre había huido impulsada por el miedo. Su cuarto estaba abierto y todo él era un santuario con las paredes tapizadas de estampas de vírgenes, beatos, mártires y santos y, en manojos, colgaban medallas y escapularios de todos tamaños; las repisas estaban llenas de figuras religiosas, flores de papel encerado, veladoras, oraciones y novenas impresas. Los silicios ennegrecidos por el óxido y la sangre estaban sobre el colchón y, regadas por todo el suelo brillaban las cuentas de ámbar de su rosario. Esos objetos ahí abandonados parecían haber perdido su valor de sagrado y me hicieron constatar que María había huido sin su Dios a cuestas.

A Margarita le amputaron la pierna derecha y después de pasar varios meses en el hospital, unas monjas Clarisas le dieron amparo en su convento. Mi madre fue a buscar a María a su pueblo sin encontrarla. Ahí nada sabían de ella y ninguno de los familiares sintió el mínimo interés en la niña. El padre le ofreció a mi madre un jarro con agua fresca y la despidió diciéndole que estaba muy agradecido con Dios por haber puesto a su nieta al cuidado de las monjas.

Mi madre concluyó el episodio con un "eso nos pasa por andar metiendo extraños a la casa" y desde entonces ella misma se encarga de todos los quehaceres domésticos. Mi padre se esmeró en quitarnos los hábitos religiosos con una sentencia que hasta la fecha a mí me provoca ofuscación: "Olvídense de los rezos y de todas las mocherías que les enseñó María; no hay nada peor que tener trato con un Dios mal entendido". Desde entonces aunque me esmero en comprender lo que Dios es, ante todo prefiero jugar al hereje.

Con el tiempo nos enteramos de que Margarita no solo tuvo buen acomodo en el convento de las Clarisas sino que creció bajo cuidados especiales. De niña participó en el coro infantil y ahora es bien apreciada por ser muy hábil cristalizando frutillas y cocinando mazapanes y dulces de leche. Durante 18 años María seguía siendo un misterio sin que nadie nos diera razón de su paradero.

Hoy he venido al mercado de San Jerónimo a comprar madejas de lana. De pronto veo a María a corta distancia. Sigue igual, no ha envejecido ni una pizca y conserva aquella impenetrable mirada de antaño. Compra manojos de yerbas aromáticas y una docena de lechugas orejonas que acomoda en su canasto. Con pasos lentos abandona el mercado, la sigo sin que me note, entra al Pesebre del Niño Jesús, una casa de cuna. Cruza el gran patio y desaparece por una puertecita. Los niños que aquí juegan no pasan de los tres años de edad. Me acerco a la monja que los cuida y le digo que la mujer que acababa de cruzar el patio se parece a la nana de un amigo de infancia. Me aclara que María ya tiene como 15 años de vivir aquí y que es la encargada de bañar a los niños más pequeños: "Debería de ver qué bien lo hace; después del baño duermen como lirones".

Siento el impulso de hablar con María para informarle de su hija, pero no quiero ser yo quien venga a removerle penas pasadas. Está bien, al parecer ni las culpas ni el tiempo la han jorobado y se ve tan recia como cuando me tomó por vez primera en sus brazos. Sin ninguna intención de volver aquí, me retiro: la dejo creando vapores aromáticos, haciendo cruces de alcohol y agua bendita en las plantas de los pies de los huérfanos y depositando bajo las almohadas hojas de lechuga, flor del sueño.

Taciturno

Leonardo, mi hermano gemelo, parece haber hecho voto de silencio. Solo con mi madre es capaz de entablar una conversación fluida y larga. Cuando lo obligo a hablarme lo hace con monosílabos o frases inacabadas dando la sensación que él mismo es un ser trunco. Ha hecho de su cuarto una cámara aislante y de él un pez escondido en un charco de luz mortecina. No obstante el trémulo resplandor de las velas y la inquietante danza de las sombras, él suele pasar horas sentado frente al espejo, sin parpadear. Me enfurece su indiferencia al mundo y su apatía melancólica. Le grito: ¡Narcisista!, solo tienes ojos para ti mismo. Afuera el pueblo se muere de hambre y tú, importándote un carajo el dolor ajeno, tienes como único fin el de languidecer. Siempre hundido en la poesía, siempre leyendo a Lorca, ¡puto, eres un puto!

Mi madre acude, me hace señas de silencio, el dedo temblando sobre su boca, el cuerpo tenso bajo el vestido negro, la angustia en los ojos: "Chist". Chiscalla, me dice, y luego para aligerar el ambiente y mostrarle su apoyo se pone a cantar un trozo de Marianita Pineda: "¡Ay, que noche tan triste en Granada, que a las piedras hacía llorar, al ver que Mariana Pineda, va a cadalso por no declarar!". Leonardo se pega a sus espaldas y ahí sobre los negros de la seda y del cabello suelto, murmura despacio: "¡Ay, que noche tan triste en Granada!"

Los veo, mariposa posada sobre la ternura maternal. Ella se voltea y quedan muy juntos sus labios, apenas asomado el beso reprimido. Él resbala la cabeza por sus senos, por el vientre hasta hundirla entre sus piernas. Hincado refugia su cobardía. Ella canta: "Por el cielo va la luna con un niño de la mano". Y de la mano lo lleva hasta la mesa, me llama y comienza la rutina de la cena, el vapor de la sopa caliente, el cuchillo que rebana los callados panes y los quesos. Con tono furtivo ella dice: "¡Ay, azafrán de la media noche!" y Leonardo murmura: "Corre, niña, corre, que ya vienen los gitanos con las cabezas levantadas y los ojos entornados". Los miro disfrutar su juego poético y exploto: ¡Al diablo con García Lorca! Aquí no hay palabras propias, todos son diálogos de Bernarda Alba, de Yerma, de la soltera esa de Doña Rosita, de... verde que te quiero verde. Y... ¿Marx? Les voy a leer a Marx para que se les quite toda esa romantiquería.

Voy por el libro, paso las hojas en búsqueda de un párrafo idóneo. Mi madre me lo arrebata y lo tira contra la alacena desplomando un tarro. Por el suelo se esparcen las flores secas de anís estrella. Otra cena inconclusa. Leonardo sale huyendo al jardín y ella, ella con fingida tranquilidad recoge las flores de té y trata de calmarme: "No seas celoso, Horacio, los dos son mis hijos y a los dos los quiero. Son gemelos y Dios me dio doble cariño para llenar sus corazones. ¡Ay, pero son tan diferentes!".

Celos, no. Es esta repulsión de vivir a todas horas con el fantasma de Lorca. Este mirar día con día al Edipo recorriendo la piel de Yocasta y esa sangre exaltada que se le queda quieta a mitad del camino. Es el no aceptar que sea yo la única conciencia que advierte las desgracias que palpitan afuera en las casas del hambre. Ella todo se lo da a él y a mí todo me lo niega. Aquí en casa no puedo reunir a mis compañeros ni para las lecturas ni para urdir los planes del movimiento porque dice que es peligroso, que no debo involucrar a Leonardo en mis agitaciones políticas. Tienen miedo de lo rojo y del grito. Digo la palabra huelga y tal parece que la tierra se abriera y mostrara su infierno, "los diablos comunistas", "los espíritus nefastos de los rojillos subrepticios". El cartel del Che Guevara es mirado como si fuera una bomba de tiempo, mis libros los ha forrado con telas estampadas de florecillas y el librero está cubierto con una mantilla española. Tan cautos son que no conciben la idea de que un pueblo tenga la necesidad de unir sus harapos para levantarse de la miseria. Aquí, nada de lo que pienso importa, nada.

Entro al cuarto de Leonardo y el ambiente me conmueve. Todo aquí es tan fino, tan ecléctico. A lo largo de la repisa se arrastra el caracol de jardín, domesticado. Es su mascota predilecta a la que llama Taciturno. Ahí va dejando su estela plateada y por todo el cuarto se ven sus trazos. Leonardo suele sostenerlo en un dedo e incluso lo deja deslizarse por sus muslos, brazos y cara y cuando anda descalzo lo trae en el pie. En la antigua pila bautismal transformada en fuente interior flota un loto y brillan dos pequeños jades: sus tortugas japonesas; se llaman Plácida y Melancólica. Plácida se ha quedado ciega, dos membranas blancas cubren sus ojos. Abro la caja de caoba y veo todas estas hojas de papel de china perfectamente recortadas, hermosos y sutiles calados de arquitectura oriental; hay también un sinnúmero de siluetas de bailarinas, arlequines, aristócratas y tantos seres mitológicos como pegasos, centauros, unicornios, tritones, y medusas, todos ellos recortes de papel con la técnica que practicaban los artesanos en la vieja Alemania.

Leonardo se dedica día y noche a estas fragilidades. En algunos sitios, armónicos y estratégicos, cuelgan delicados móviles. En el librero está su colección de caleidoscopios hechos por él mismo, irrepetibles formas de pedacería de cristal, colores danzantes en los trípticos espejos. En la mesa del fondo tiene en orden los frascos de anilinas, la cera e instrumentos con los que hace batiks de diseños asirio-babilónicos. Ha construido un teatrino para sus figurantes hechos de trapo y madera, personajes de "Los títeres de Cachiporra", del "Sueño de una noche de verano", de "Teseo y el Minotauro doliente", tragedia que él mismo escribió. Ahí solo, sin más público que mi madre, con obsesión representa "Edipo Rey" y sobre todo "Yocasta o casi". Leonardo es un Edipo, un maricón. Así empiezan, primero con amoríos edípicos y luego sus almas femeninas se lanzan a la búsqueda de los machos.

Estoy pensando en todos los posibles significados de estos objetos de su gusto. Él entra al cuarto y no se sorprende al verme aquí. Indiferente se sienta frente a la mesa de trabajo. Enciende la lámpara concentradora de luz y termina de hacer una jaula de bambúes. Dentro de ella, en el delgado travesaño, coloca dos disecados caballitos de mar. Su delicada mano cabe dentro de la jaula y tiene la paciencia de permanecer quieto en espera de que el cemento seque. Silba, ríe y me dice: "Algún día estos hipocampos cantarán como pájaros".

Leonardo lorqueano, batikero, escenógrafo, manipulador de títeres, constructor de caleidoscopios, linternas y cajas mágicas, metido siempre aquí en el mito y el surrealismo. No dudo de que los hipocampos lleguen a silbar y quizá hasta lleguen a declamarle algunos versitos de Lorca. ¿Cómo salvarlo de tanta enajenación?

Leonardo, le digo, dame la oportunidad de ayudarte. Mañana hay una manifestación y quiero que vengas conmigo. Es necesario que veas cómo son y deben ser los jóvenes de la actualidad: gente de lucha. Quiero que mires la realidad y todo lo que esta reclama. Compara tu vida con la mía y quizá llegues a entenderme y a unirte con nosotros. Haz la prueba y si no te convence, tú ganas la batalla y te casas con mi madre o vas y te acuestas con otro puto como tú.

No contesta y me mira avergonzado. Los dos tenemos ganas de soltar el llanto. Él, temeroso y sometido asiente con un triste movimiento de cabeza. Lamento haber sido tan hiriente, sé cuánto le duelen mis insultos, pero él comprende que en esto no hay mala leche sino un deseo de sacarlo adelante y acabar con su debilidad. Sé que en el fondo él quisiera ser como yo, que le apena no ser militante, conquistador de un ideal perenne. A pesar suyo no ha podido dejar de ser lo que es por culpa de esa alma de soufflé que le suaviza los sentimientos.

A mi lado podrá hacerse hombre. Aceptó dar el primer paso.

La explanada está llena de estudiantes. Unos jóvenes hablan desde la tribuna, son los líderes de Ciencias Políticas. Miles de voces corean las frases: "Libertad a los presos políticos", "Cultura y Justicia", "La tierra es de los campesinos", "Obreros y estudiantes al poder". La ira se hilvana, el calor huele a rebeldía y el aire denso es irrespirable. La inmensa masa se mueve agitada al ritmo de los ideales. Leonardo estremecido aprieta mi mano. Un helicóptero vuela a poca altura como el águila que se acerca a su presa. Un proyectil toca la frente de una muchacha y luego otros tantos son disparados, colación asesina que desata el pánico. Los tanques entran a la plaza animando las correrías en fuga. Leonardo atónito contempla sin reaccionar al peligro. Le doy una bofetada. Grita: "México" y parece que por primera vez descubre el significado de esa palabra. Lo jalo y corremos hacia todos lados entre cuerpos caídos. Una cabeza rueda escalera abajo y va a detenerse en un montón de libros despedazados. Seguro la imaginé, es el miedo de todos, de agredidos y agresores. Un muchacho es atravesado con una bayoneta. Entre los alaridos que escucho mi memoria me reporta el eco de un fado portugués: "Solidao", canto que hiere hondo, sentimentalísimo. No sé por qué reaparece entre esta sonoridad del horror. Me debilita, me acobarda y me hace llorar. Tengo la pierna caliente, sangra y apenas responde. Corro. Estoy solo; Leonardo se ha caído atrás y está bocabajo. Regreso, lo volteo, tiene los ojos opacos. Grita: "México". Luego expulsa una bocanada de sangre. Trato de ponerlo de pie, pesa demasiado, lo arrastro, lloro y babeo. Una voz de mujer me dice: "Déjalo, está muerto". Me jalan y subimos escaleras, la puerta de un departamento se abre y nos brinda mudo refugio. Rompo el silencio con un ¡no quiero volver a casa, no quiero sufrir el odio de mi madre! "Chist". Silencio. Amanece, el sol avanza hasta llegar al cenit y desciende vencido por las sombras. Un día, otro, otro más siempre en silencio. Se ha agotado lo que había en la alacena y de los grifos no cae una gota de agua. Salimos de uno a uno y el exterior se muestra tranquilo, sin cadáveres ni agresores. Todo en calma.

A lo largo de un pasillo una fila de granaderos sentados en el suelo comen arroz y dan la impresión de bestias cansadas, apaleadas por el desgaste del crimen. Todo en calma. El viento es suave, moviliza con lentitud papeles y basurilla como si fueran residuos de una fiesta popular. Todo en calma. Calma absoluta.

¿Cómo decirle a mi madre que Leonardo ha muerto? ¿Cómo decirle que sus restos, con los de muchos otros, fueron recogidos cual desperdicios y extinguidos en algún crematorio oculto para borrar las huellas del genocidio? ¿Cómo explicarle que todo fue imprevisible y que no soy un fraticida? Jamás lo creerá. Jamás aceptará que se acabó la voz aceitunada de su Leonardo.

Llego a la casa y entro al cuarto de mi hermano. Ahí está mi madre en su mecedora. Los hipocampos gritan dentro de su jaula. Taciturno, el caracol, ha trazado en las paredes una larga estela de espuma sanguinolenta, se arrastra más despacio que nunca, ahora sube del pecho al cuello de mi madre, cruza por su rostro y se detiene en la frente.

A mi madre, sin Leonardo, mi existencia no le significará nada, ni para odio, reclamo o consuelo. Nada. No le importará que yo haya sobrevivido. Lo sé. Escucho los lamentos de los hipocampos, escucho el tenue canto de ella, voz materna, trágica en su intuición: "Por el cielo va la luna con un niño de la mano".

Con los pies en el agua

A Simona desde niña le gustó el infierno. El cielo no sería para ella, hija de prostituta y habituada al mundo de los vicios y de la vida ardiente. Había oído decir que el infierno está aquí mismo, en la tierra, donde son muy fuertes los golpes de la vida; por tal razón le parecían naturales las palizas que le propinaba Jesús María, su padre. Mordida por la miseria y escoriada su alma de tanto roce con el sufrimiento, a pesar de todo, ella era feliz con su existencia sin entender por qué la gente se conmiseraba al verla. El hambre, la calle, la mugre fueron los mejores aliados en su infancia y nunca se preocupó por aquellas fiebres y vómitos constantes que la mantenían flaca y pálida. Era más normal vomitar que comer y, desconocía la tristeza, aunque para todos ella fuera un personaje triste enmarcado en el inframundo de una ciudad perdida.

Tenía comezón en los pezones y las tetillas empezaban a adquirir volumen. Estaba lista para el trabajo y entró a La gloria eres tú, burdel que fue abierto aprovechando que en el lado más óptimo de la barranca iniciaban la construcción de la unidad que albergaría a trescientas familias de la clase obrera. La mayoría de los clientes que asistían al típico burdelito eran los albañiles empleados en la cercana obra y, entre ellos, estaba Jesús María, el padre de Simona quien recurría con preferencia a los servicios de su hija. Los demás eran hombres mansos, digamos que de buen corazón, pero con tanto detrimento en sus emociones que con frecuencia cometían actos sin juicio. Simona otorgaba a estos seres el más necesario de los placeres para ellos: la naturalidad del contacto físico sin miramientos.

Aquella mañana de un lunes martirizado por el precio de la cruda y la insolación, Helena, una desconocida, subió a los andamios a pedirles a los albañiles un trago que le ofrecieron con asombro. Bonita, rubia, elegante, de apenas quince años, parecía la aparición de un ángel. Realidad era, así lo demostraron sus carcajadas y la manera obscena con que se masturbó frente a ellos. Lógica reacción de instintos en bramadero, los hombres se saciaron en ella instigados por una demanda de furor y por la miseria de aquella alma que soez y cómica suplicaba ser abatida. No hubo ultraje pero sí un abuso que minó la resistencia física de Helena. Cuando los albañiles advirtieron que ya no reaccionaba a los violentos estímulos, miedosos bajaron de la estructura y huyeron. Por boca de su padre Simona se enteró de lo sucedido y fue a la construcción para indagar qué tan dañada estaba esa muchacha. Se cercioró de que no estaba muerta pero había perdido el conocimiento. Helena volvió en sí y al mirar a Simona que muy de cerca la veía con estupor, le escupió en la cara diciéndole que no le quitara a sus hombres. Simona la agarró a bofetadas y las dos, coléricas, se tiraron de golpes y mordidas como si tuvieran un viejo resentimiento. Con sigilo aparecieron tres policías. Como Simona tenía trece años y Helena quince las amenazaron con recluirlas en un reformatorio. Las llevaron a la delegación.

"Esta cabrona quiere quitarme a mis machos", gritaba Helena con el rigor de quien reclama algo propio. El juez sonreía incrédulo ante Simona quien, ahogada por sus carcajadas y a pesar de sus esfuerzos, no podía convencerlos de que ella no conocía a aquella mujer. Entre más absurda era la situación más cómica resultaba y todos cayeron en una crisis de risa colectiva. Después de los exámenes médicos las metieron juntas a un separo con la intención de que al darse un nuevo agarrón soltaran prenda sobre lo que había sucedido.

Las dos permanecieron mudas y cuando arreció

el frío del amanecer, vencidas por el cansancio se durmieron abrazadas como si así lo hubieran hecho siempre. Pasaron densas horas ahí sin que ninguna de las dos hiciera una llamada telefónica para pedir ayuda y sin que nadie las reclamara.

En la madrugada del segundo día se presentó a la delegación una mujer fina como alfeñique de pastel de quinceaños. La acompañaba su abogado quien le mostró al juez una fotografía. De inmediato este ordenó que se presentaran las muchachas. En cuanto aparecieron, la muñequita de dulce reconoció en Helena a su hija y se lanzó a abrazarla emitiendo gracias a Dios en tono de soprano. Helena dijo que esa pinche vieja no era su madre y que al tipo nunca lo había visto en su vida. Gritó cuantas ofensas se le ocurrieron y comenzó a convulsionarse. Por exigencia del abogado, el médico informó que Helena había sido víctima de una violación y que serían necesarios otros análisis para saber cuántos intervinieron. El abogado no mostró sorpresa alguna, llamó al juez hacía un rincón, le dio un buen fajo de dinero y mostrándole papeles le explicó que esa chica era hija de un Don Alguien. Alarmado por lo que pudiera complicarse en su contra, el juez aseguró que el caso sería investigado a fondo y que capturaría a los culpables. El abogado determinó que todo lo que tenía que hacer era guardar silencio y olvidar el suceso. La madre pusilánime e histérica despotricó en público que su hija siempre había sido una muchacha rara; de niña tiró a la basura todas sus muñecas y con una mascada roja hizo un diablo al que le amarró una pata de gallo y a causa de ese fetiche se convirtió en el mismo demonio; a los once años le había pedido al jardinero que le quitara la virginidad; tenía la manía de correr desnuda por las calles y sus fugas geográficas eran constantes; al internarla en una clínica descubrieron que era fármaco dependiente. Para justificar su impotencia ante la hija subrayó que ya nada se podía hacer por ella. El abogado aseguró que se trataba de un caso clínico y con los dedos de la mano hizo la señal de dos y le susurró al juez que ambas estaban relocas. Se llevó a la madre y a la hija. El juez se quedó mirando fijamente a Simona, quien bien adivinó todas las amenazas y condiciones que ello significaba. El sobornado le dio un billete y la dejó salir.

Del suceso, Simona solo contaba lo del ataque de risa, cuestión que se había hecho una rutina para desencadenar la carcajada de todas las prostitutas. Lo dramático del pasaje no hizo mella en su conciencia. Lo que para el común de la gente es motivo de angustia, para ella es la maravillosa paz que da el regocijo de pasar por la vida como quien monta desnuda y a pelo un toro agarrado por los cuernos. En el burdel la preocupación principal era mantener la hoguera encendida y eso estaba bien cuidado con las botanas de mariscos, chochitos de cantárida y la leche con yerba alzada que dicen es de lo más afrodisíaca. Hervidero de clientes llegaban con sus urgencias, monedas y guasas. Mientras la luz se pague, el foco alumbra por igual lo bueno y lo malo, así que la vida transcurría transparente.

Pasados algunos meses Helena regresó a la construcción. Traía los labios reventados y el pelo tusado. Se metió entre los albañiles, quienes con todo respeto le dijeron: "Güerita, váyase porque nos va a meter en problemas". Ella comentó que solo estaba ahí para tomar el solecito, se sentó en un andamio, peló una naranja y se comió uno a uno los gajos. Se quitó la blusa y dejó que sus blancos senos se recalentaran con los rayos solares. Era la hora de la comida así que los hombres agarraron su rumbo. Helena se fue siguiendo a Jesús María hasta La gloria eres tú y al tiempo de la charla y los tragos se puso a conversar con Simona como si la única experiencia que hubieran tenido fuera la de compartir un vaso de agua. Cuando todos estaban envueltos en el vaho del alcohol, una muchacha se acercó a Helena preguntándole: "¿Tú eres la de...?" y soltó una carcajada multiplicada por todos los presentes. Simona con hipo, risa violenta y lágrimas le advirtió a Helena: "No te quitaré a tus machos pero deja en paz a Jesús María porque este sí que es un hombre muy mío, como que es mi padre". Diciendo esto se fue con su progenitor tras la cortinita para trabajar con quien era el mejor de sus clientes.

Helena se instaló en La gloria eres tú, solo por unos días mientras arreglaba algunas cosas para irse a San Francisco. Aseguró que sus padres no la buscarían porque en realidad lo que querían era deshacerse de ella. Ya estaban cansados de sus fugas y de lo que implicaba pagar a un inspector privado y al abogado, ocultar ante la sociedad sus locas andanzas e intentar curarla. "Están hartos —dijo con satisfacción— el agua ya les llegó al cuello mientras que a mí apenas empieza a mojarme los pies". Para darle realce a lo dicho, Helena hizo gárgaras con el ron que estaba bebiendo, se quitó un zapato y mojó los dedos de sus pies en un charco de cerveza que se había derramado en el suelo.

Una tarde en que se hizo sentir el hastío Helena le contó a Simona que desde los once años empezó a andar con hombres y que tenía la urgencia de lo que los médicos llaman coito tumultuario; sí, necesitaba hacerlo con varios a la vez. No había horror ni complacencia en ello porque después del acto no recordaba nada, no podía explicar cuál era la razón, pero sin que hubiera un motivo volvía a sentir ese apetito más fuerte que ella misma. Sus padres la calificaban de enferma, vivían temerosos de lo que pudiera hacer y la mantenían encerrada en su casa. Siempre lograba escapar y ellos recurrieron a internarla en clínicas privadas. Incluso la metieron en un retiro atendido por psicólogos y filósofos donde se trabaja la personalidad con base en la razón y la ética. Mamadas, según ella, que le sirvieron para darse cuenta de los esfuerzos que hace la mayoría de las personas por vivir en caminos bien diseñados que les garanticen no andar perdidas. Ella se las ingenió para salirse de la bendita caravana y anduvo por cuanto sendero retorcido encontró. Helena hizo hincapié de que no buscaba nada en especial y que si andaba al garete era porque se odiaría a sí misma si su madre le ganara la batalla. No estaba dispuesta a ser como ella, sumisa y arreada hacia un luminoso destino, una elegante Barbie protegida por el dinero y las bendiciones de Dios.

Hace dos años, cuando la mandaron a San Francisco a estudiar idiomas, Helena conoció el mundo de la droga. No podría ya sentarse en la moralina y en el miedo cuando a su alcance estaban los buenos y los malos viajes de los estimulantes. La ventaja de reventarse estriba en que nada importa perder las piezas del rompecabezas. Los vacíos son bien venidos. Lo molesto de la realidad es que para entrar o salir de un lugar a otro siempre hay que cruzar una puerta y todo umbral es tirano porque pone límites, en cambio en el mundo de la droga simplemente se está en todas partes. Simona no entendía bien a Helena, tenía una manera de hablar poco clara pero la sentía superior no solo porque fuera más alta y rubia sino por su falta de miedo. A Simona le gustaba su propia vida pero a veces quería irse, conocer el mundo como lo había hecho su madre, quien la abandonó dos años atrás diciéndole: "Me voy porque hay cosas mejores que este mundillo y cuando tenga en mis manos lo que ando buscando vendré por ti". A Simona le inquietaba aquella promesa pero todas las muchachas se encargaron de deshacerle toda esperanza y el mismo Jesús María le dijo que no había razón para esperar a su madre, que ella también se iría algún día y que lo mejor era ir pensando en los rumbos que tomaría. Nadie se opuso cuando Simona decidió irse con Helena. Jesús María la vio alejarse como el polen que es llevado en las patas de una abeja.

Se instalaron unos días en la casa de Horacio, un primo lejano del padre de Helena, hombre viejo y homosexual, anticuario, crítico de arte y coleccionista de pianos. La casona se encontraba en una colonia que fue residencial a finales del siglo XIX, era de tres pisos, con muchos cuartos todos repletos de antigüedades, con escaleras y terrazas que le daban semejanza con un pequeño palacio. El gran jardín estaba descuidado y el yerbajo y la hojarasca se esmeraban en acentuar la atmósfera melancólica. Más allá del kiosco de cúpula de cobre se alcanzaba a ver otra construcción que era bellísima de noche cuando se iluminaban los vitrales bizantinos. Parecía una iglesia y ahí vivía Boris, un muchacho de descendencia polaca, amante de Horacio y del que se decía era tan bello como insociable y extraño en sus costumbres.

Helena y Simona se albergaron en el cuarto de Rogelio, uno de los protegidos de Horacio. Era un escultor convaleciente de tuberculosis que trabajaba contra la desgracia preparando una exposición que llevaría a Bélgica. Los esporádicos residentes de la casona se veían obligados a posar para él en el mejor de sus proyectos: Barca de Caronte, abordada por pasajeros unidos en abrazo, temerosos del viaje póstumo. Las muchachas también posaron durante horas, desnudas, abrazadas e inmóviles, dominadas por los gritos del escultor: "Quiero ver espanto en los ojos, bocas abiertas, manos crispadas, tensión en los músculos. Van navegando hacia el infierno!". En la sala principal, compartían buen tiempo con los invitados. Con el consumo de alcohol y drogas las fiestas eran espectaculares. Este mundo despertó en Simona asombro e inquietudes y por primera vez, ahí, ante la confluencia de artistas y gente tan rara y fascinante, sintió la angustia de querer ser alguien.

Pasaron varias semanas y Simona no dejó de sorprenderse ante la rapidez con que los pintores hacían bosquejos atrapando cuanto rostro llegaba a la casa de Horacio. Los actores que ahí ensayaban una obra de teatro, ataviados con suntuoso vestuario y máscaras, improvisaban escenas lúbricas. Se divirtió mucho la noche en que llegaron unos acróbatas y le enseñaron algunos ejercicios. Su cuerpo era tan flexible que pudo andar como araña con la cabeza entre las piernas mirando hacia atrás. Llegó a participar en los juegos, esos del cadáver exquisito y de ¿quién es el asesino? Mostró tal agilidad de mente que Horacio la premió con un caftán de hermosa tela estampada. Ese mundo comenzó a no serle ajeno.

Anhelaba escuchar el sonido de los pianos, pero advertida de que eran sagrados, nunca se atrevió a tocarlos. Una noche, para asombro de todos, Boris se presentó a la fiesta. Su imagen impositiva hizo que el gozoso vocerío cesara de golpe. Con gestos imperiales, el adamado Boris se paseó entre las visitas haciendo reverencias ante sus miradas complacidas por su belleza. Se quitó la bata de seda color marfil, desnudo se sentó ante un Steinway de cola y virtuoso tocó un adagio, notas de bajos profundos de su propia inspiración. La atención silenciosa de la concurrencia fue prolongada aun cuando él, durante varios minutos, jugueteó tocando una sola nota, el do de la octava más grave. Luego agarró unos crótalos que fue sonando al oído de los hombres, se puso a dar de giros y a soltar deliciosas carcajadas. Gritó: "Brindemos nuestros placeres a Wagner". Convocados con ese júbilo los bohemios se dieron a la algarabía incrementando excéntricas manifestaciones de inteligencia. Generosamente comenzó a circular la cocaína: una línea de polvo sobre el cristal que cubría una fotografía de Boris: en su imagen desnuda se apreciaba su mano cortándose la tetilla izquierda con una navaja toledana y, apenas visibles, le escurrían desde el pecho al vientre unas gotas de sangre. Las ávidas fosas nasales de los consumidores simulaban olfatear el aroma del mesurado autosacrificio.

Simona se sentía flotando en un lago de agua magenta y efervescente. No podía explicarlo pero algo se estiraba dentro de la médula y sus huesos parecían pegar de gritos. "Te cruzaste, le dijo Helena, así se siente cuando combinas alcohol con marihuana y coca". Helena plácidamente se dejaba caer en su propio abismo, pero de pronto, con las narices resecas y polveadas de cocaína, los ojos como cortados por minúsculos vidrios y una saliva espesa que le reventaba los labios, gimió en un desgarre de garganta y entonces se desnudó y comenzó a llamar a los hombres para que hicieran uso de ella. "Todos a la vez", gritaba, y tres de los actores, como perros hambrientos a los que se les echa un pedazo de carne, voluptuosos se arrojaron sobre su cuerpo. El arrebato fue contemplado al igual que se disfruta una llovizna tras la ventana.

Helena, como solía sucederle, perdió el conocimiento durante unos minutos, lapso en que Boris la miró fijamente, disfrutando su apariencia de cisne lánguido. En cuanto Helena volvió en sí, él husmeó alrededor de su cuerpo, se hincó, la abrazó susurrándole al oído: "Eres divina y sé que quieres más. Yo te voy a dar algo más". Ayudándola a recuperarse la paseó entre los invitados. Su mirada tenía el brillo de lo selectivo y entre todos eligió a Simona y a dos jovencitas, Marcia y Josefa, pidiéndoles cordialmente que lo acompañaran a disfrutar otro paraíso, el de su habitación privada. En vano Horacio intervino para que desistiera de su propósito y a pesar de haber dejado notar en su súplica un temor indefinible que por sí solo ya era una advertencia, las cuatro mujeres se dejaron llevar por Boris, cruzaron el jardín y entraron en su aposento.

La sala era amplia, sin muebles y alfombrada de armiño blanco bañado con el colorido de los vitrales fuertemente iluminados por luces exteriores. Había unos enormes cojines de pluma de ganso forrados en tafetán. Resplandecía un espejo de agua en cuyo centro había un enorme bloque de hielo asentado en un pedestal de ónix. Tres mujeres adolescentes, aletargadas, fumaban opio. Cuatro damajuanes, de cuerpos atléticos y rostros bien modelados por cirugía, practicaban esgrima. Tiraron los floretes, jocosos dieron la bienvenida a las recién llegadas y le palmotearon la espalda a Boris en señal de que reconocían su buena elección. Sentados sobre el suave armiño disfrutaron de unos tragos y hablaron de naderías. Helena le quitó la chinesca y antigua pipa de agua a una de las niñas y se disponía a fumar opio cuando Boris la sedujo a algo mejor, un jeringazo de heroína. Marcia, Josefa y Simona también recibieron una dosis de la misma sustancia. El fuego y una felicidad impetuosa corrió por sus venas. Fue entonces que Simona advirtió que había alguien más en la sala, era otro damajuan que cohabitaba con una muchacha vestida con una túnica color azul cobalto.

Boris hizo unas piruetas de arlequín, tocó una flauta dulce y anunció que comenzaba el juego. Se sentaron en rueda y al centro puso una pistola cargada con una bala, girado el cargador al azar, dispuesta el arma al angustiante juego de la ruleta rusa. Junto con la euforia Simona sintió un miedo instintivo que la movió a negarse a participar, pero Boris le dijo que más le valía retar a la suerte porque al menos, si tenía buen ángel de la guarda, podría quedar con vida como lo estaban las fumadoras de opio; por lo contrario si se abstenía de jugar, entonces él la mataría. Dijo esto acercándole a la frente el cañón de otra pistola. Helena la regañó: "Aquí hay que estar dispuestas a todo reluciendo las agallas. No temas, apenas el agua nos moja los pies". Simona pensó que se trataba de un teatro macabro, alegoría excéntrica para templarle los nervios. Tomó la pistola y jaló el gatillo. Silencio y ausencia de balazo, luego las risotadas de los damajuanes rompieron la tensión del ambiente y la flauta de Boris los transportó a la Edad Media.

Drogados con mezclas de estupefacientes no advirtieron el tiempo transcurrido. Marcia había estado golpeteando en un tamborcillo un ritmo afrocubano a la vez que Josefa, hincada, balanceaba su cuerpo y emulaba latigazos con su negra cabellera. Helena le lamía los pies a Boris quien por momentos gozaba de ello y a veces la esquivaba pateándole el rostro. Los damajuanes se dedicaron a esculpir un falo en el bloque de hielo. Simona, ensimismada, peinaba la alfombra con un cepillito de cejas que nunca supo cómo llegó a sus manos. Un alarido llamó la atención de todos. Sobre el cuerpo de la joven vestida de azul, arqueado y con los ojos entornados, el otro damajuan había por fin conseguido su caótico orgasmo. Apenas salió del éxtasis miró en su derredor, se desprendió del cuerpo de la muchacha y la arrastró hasta el círculo. Con aversión las cuatro invitadas de Boris advirtieron que la de azul estaba muerta de un tiro en la sien.

"Hermosa Josefa, es tu turno", dijo Boris con la voz apretada por la emoción. Tienes tres alternativas: morir por tu propia mano, morir a causa de un disparo mío o sobrevivir coronada por la buena fortuna". Le puso la pistola en la mano y se la empuñó directa a la sien, se retiró suavemente en espera del fallo de la suerte. Marcia intentó arrebatarle la pistola y a pesar de sus forcejeos fue paralizada por los brazos de un damajuan. Simona reaccionó con su acostumbrado ataque de risa. Se escuchó el ruidito del gatillo y, a salvo, Josefa se persignó y besó el cañón de la pistola. Siguió el turno de Marcia que incapaz de darse un tiro suplicaba que la mataran. Obligada, tuvo que jalar el gatillo y por suerte también permaneció ilesa. Llegó el momento para Helena quien sin piedad alguna se metió la pistola en la boca. Boris ordenó a gritos que se apuntara en la sien derecha y así lo hizo sin que se disparara bala alguna. Con mofa y como si alentara a un grupo de niñas que aspiraran a un premio, el más sangrigordo de los damajuanes vociferó: "Boris tiene la suerte de que al girar el cargador sabe dónde queda la bala y así mantiene a su antojo el suspenso".

El tedio es el peor de los males pues aparece aun cuando se está en peligro de muerte. La atmósfera estaba saturada de ese olor a sudor agrio de tanta descarga de adrenalina. Los cuerpos femeninos se veían lacios y no había ya más brío en las mentes. En forma mecánica pasaba la pistola de una a otra mano, y de tiempo en tiempo Boris hacía girar el cargador. Las fumadoras de opio cayeron en un sueño profundo y no eran más que la presencia de la ausencia. Todo parecía ser una truculenta farsa a no ser por el cadáver de la mujer vestida de azul.

La muerte no significaba más que un insoportable retardo. Un disparo reanimó la angustia. Helena cayó muerta ejecutada por su propia mala ventura. Su cuerpo rodó hacia el falo de hielo que comenzaba a derretirse y sus pies se hundieron en el espejo de agua. Las tristes invitadas no tenían recursos para reaccionar y se abismaron en el declive causado por tanto estupefaciente ingerido. Ante la mirada casi indiferente de Boris, los damajuanes, por turnos, fornicaron con Helena quien ya sin vida fue sacudida por las demandas orgásmicas de los violentos adamados.

Simona despertó en una clínica. La encontraron golpeada y tirada en un parque y las heridas eran tan brutales que seguramente sus agresores creyeron haberla matado. Ella, aferrada en no recordar lo sucedido, nada pudo decir a los agentes judiciales. Se entregó a un autismo que los movió a la compasión y apenas restablecida la instalaron en un albergue de reintegración juvenil donde no dio a conocer su identidad. El silencio fue su única defensa.

Después de seis meses logró escapar y volvió a La gloria eres tú. Le comentó a las muchachas que la había pasado más o menos bien. Aclaró que las cicatrices que tenía en el cuerpo se las había hecho Helena cuando pelearon por un hombre y que realmente todo había sido muy aburrido. Pidió que la dejaran descansar esa noche. En la azotea, iluminada por el plenilunio y entre las sábanas ondulantes del tendedero, se sentó con los pies hundidos en una palangana llena de agua. En su mente latía el recuerdo de Helena y la imagen de aquel inmenso falo de hielo que se diluía para no dejar vestigio de su misterio y de su crimen.

Ese maldito animal

No había manera de quitarle a Germán esa obsesión de llevar animales a su casa. En su cuarto de infancia siempre tuvo frascos donde albergaba todo tipo de alimañas, mismas que le duraban solo el tiempo en que Rebeca, su madre, se tardaba en descubrirlas. La aterrada mujer le pedía auxilio al velador para que las matara y cuando se trataba de gatos que mandaba a arrojar lejos de la colonia, como siempre volvían a casa, terminaba por suplicarle a la sirvienta que los metiera en una funda y ahogara en el tinaco.

Cuanto más crecía Germán mayor era el número de animales hospedados ahí. Esa casa había dejado de ser un hogar para convertirse en un zoológico sin planeación ni orden alguno. Especies bien comunes o raras convivían imponiendo sus individuales realezas, dando rienda suelta a sus propios instintos. En ocasiones se confraternaban de una manera asombrosa: Pancha, una perra, amamantó a siete gatos; la rata Gertrudis dormía en el nido de Úrsulo, un halcón; Benito, el tlacuache, adoptó cariñosamente a Celia, una gallina de Guinea, buena ponedora; Eduardo II, el puma, mantenía relaciones casi filiales con Paganini, el tejón. No se podía negar que muchos de los animales eran entre sí más corteses que las personas, pero la mayoría se devoraban unos a otros y era insoportable la alharaca que hacían durante sus fieras peleas. Lo peor es que Germán ha tenido el hábito de enterrar a sus animales en el jardín y prácticamente Rebeca vive sobre un cementerio, soportando la peste cuando la hiena por las noches desentierra los cadáveres.

Viuda y por la poca misericordia de Dios, Rebeca ha permanecido sola y, ya sesentona, culpa a Germán de que no hay hombre que se atreva a acercarse a su vida a causa del animalerío casero. Era lógico que nadie quisiera cortejarla si toda ella olía a caca de animalejos emplumados, mierda de cerdos y orín de zorrillo.

La apesadumbrada Rebeca emprendió largo viaje para ir a ver a la virgen de Chichicuija. Pasó veintidós horas en camión de segunda clase y nueve horas montada en mula hasta el tremedal de donde, a pie, tuvo que rodear los pantanos con el Jesús en la boca cada vez que se atascaba en las charcas; con dolores reumáticos de tanta humedad sufrida, descansó unas horas en el despeñadero, y de ahí trepó por los taludes de lajas cortantes hasta la cumbre donde se asienta la capilla. Llegó con los pies llagados y con los pulmones a punto de reventarse, pero llegó. Con vanidad de heroína por haber logrado semejante trayecto, le suplicó a la virgen que hiciera el milagro de impedir que Germán metiera más animales a su casa. Quejumbrosa, Rebeca le platicó a la virgencita todas las desgracias que le causaban las mascotas de su hijo: el drenaje se había tapado con los sapos y salamandras que ella había echado en la taza del baño; el agua salió pestilente por eso de los gatos ahogados en el tinaco y le causó una tifoidea de la que se salvó por gracia de Dios; amanecía calenturienta, con pústulas provocadas por los mordiscos de las tarántulas llamadas "preciosas" y traídas por su hijo del desierto de San Luis; Netzahualcóyotl, uno de los perros lampiños, la mordió y le tuvieron que poner cuarenta inyecciones en el ombligo; el pastel para llevarle a su ahijada salió del horno decorado con Josefina, una zarigüeya; Tomasito, el murciélago, tenía preferencia por colgarse de la cabecera de su cama de latón y le arrojaba guano sobre las sábanas; la changa chiquimulteca, la tal Bonifacia que estaba enamorada de su hijo, presa de celos trató de asfixiarla enredándole la cola al cuello; se tropezaba constantemente con Ruperta, la boa; a los coralillos los partió en rodajas y fue espantoso ver que no se morían y por dondequiera se retorcían los pedazos. Y para colmo, Sarita, la hiena, se burlaba de ella todo el tiempo.

Sus congojas eran tantas que necesitaba la ayuda del cielo porque por más que mataba animales estos se reproducían con feracidad y además llegaban otros nuevos a saturar el zoológico casero. Los remordimientos no la dejaban en paz y aspiraba al perdón por haber matado tantas criaturitas de Dios. Sobre todo, lo que pedía Rebeca era iluminación para su hijo, que fuera curado de tal obsesión. Germancito ya tenía cuarenta años y enajenado en el cuidado de su animalerío ni por casualidad se le había ocurrido casarse. El muchacho parecía no necesitar del calor humano y con despreocupación de sí mismo se había convertido en un maloliente obeso; además era alarmante cierta animalidad en sus modales. La madre le pidió encarecidamente a la virgen que dotara a su hijo de una mayor inteligencia para que pudiera interesarse en cosas más útiles, que le abriera el camino del amor y lo condujera a ser un hombre de provecho. Rebeca ponía su confianza en la virgen de Chichicuija, la más milagrosa de todas las advocaciones de María. Prometió, si atendía a sus ruegos, tejerle un manto en hilo de plata bordado con chaquiras negras y granates.

Cuando Rebeca llegó a su casa, Germán tenía una nueva mascota que trajo del desierto de San Luis y a la que le dio el nombre de Hilaria. Al toparse con ella, Rebeca lanzó un grito espeluznante. Nunca había visto un animal tan feo. Tenía un pelambre grisáceo y largo, unos ojillos rasgados que aseguraban traiciones por venir. Al caminar le crujían los huesos, se le arqueaba el espinazo y despedía un olorcito a cacahuate asado combinado con vinagre. Su cuello era largo y lo extendía y lo encogía como lo hacen las tortugas y tenía la respiración de un toro en brama. Difícil le era saber de qué raza o de cuál especie era ese animal, pero lo peor de todo es que era hembra y eso representaba una amenaza de reproducción.

La bestia Hilaria se quedó en la cocina al cuidado de Rebeca mientras Germán salió a comprarle algún alimento especial. Se echó ahí en el suelo, aparentemente mansa; una secreción ligera le escurrió por las fosas nasales y los ojillos acuosos comenzaron a ser tan expresivos como si intentara decir algo importante. A Rebeca le causó lástima y le tiró un plátano pero al ver cómo lo devoraba con su hocico enjuto y al advertir lo amarillento de sus colmillos volvió a parecerle repugnante. No estaba dispuesta a convivir con ese maldito animal y decidió matarlo. Primero le untó harto limón y sal de grano para ver si se deshacía como los tlaconetes; esa refriega no sirvió ni para removerle la mugre así que lo agarró a palos y como se escabulló pegando de alaridos tuvo que echarle una red encima. Atrapado, con los ojos cocidos por el limón y la sal y sin defensas, fue bañado con gasolina. Con rapidez, Rebeca le prendió fuego, orgullosa de esa táctica que era infalible. Solemne observó al animal en llamas y descubrió que a pesar de su semejanza con los monos araña, ese repugnante mamífero era un ejemplar de la especie humana. Perturbada por su fobia a los animales que hasta en los sueños se le aparecían híbridos y monstruosos, no pudo distinguir a su semejante.

Había incendiado a una mujer, una muchacha que era el primer amor de su hijo adorado.

El montón

Rodó la canica por tierra, cruzó el círculo trazado con una vara, pasó de largo sin caer en el hoyo. Al hincarme se me rompieron los pantalones a la altura de la rodilla. ¡Pelas! Ya me debes tres canicas. Me preguntó qué quiero ser cuando sea grande. Encarcelado, le dije. Me corrigió: carcelero. No, encarcelado, reafirmé; pienso matar al cabrón de mi padre.

Se me quitaron las ganas de seguir jugando. No tenía caso decir mis cosas. Me arrepentí de haberle contado al Grillo que yo quería matar a mi padre. Por fortuna tiene tan mala memoria que pronto lo habrá olvidado.

En la refresquería junté muchas corcholatas, me las eché a los bolsillos y me puse a correr para oír su ruido, de esa manera ya no escuchaba las voces que traigo siempre en la cabeza. Sentí cómo se hacía de noche porque el hambre me crecía oscura, ese dolorcito de siempre que revierte en mi boca un sabor agrio. Me fui para la casa. A la entrada de la vecindad la Márgara mataba ratas con un palo. La vieja, como no puede dormir, se pasa las noches acosando roedores, por eso el cabrón le puso de apodo La Gata, y como tiene la piel grisácea, los ojos amarillos y solo come pan remojado con leche, pues la verdad el mote le queda muy bien.

Entré al cuarto y vi las mismas cosas de siempre. Para cualquiera todo eso estaba en desorden, y no, cada cosa ocupaba su lugar: los trastos en la estufa y en la mesa. En el rincón, izquierda al fondo, la bacinica. Medicinas, veladoras y papelitos en la repisa. Los quintos de cobre encajados en la rendija de la ventana. Las toallas deshilachadas colgadas en los clavos de la pared derecha; ahí junto, la roja chamarra de pana del cabrón, empolvándose desde que consiguió la de cuero. En la alacena los kilos de frijoles, la manteca, la sal, el café y el piloncillo. Ahí la estampita de San Judas Tadeo y un vaso con yerbas espanta espíritus: ruda y albahaca. En los rincones líos de ropa, el costal de carbón, la lata de petróleo...

Ya era de noche. Todos mis hermanos dormían menos la Jacinta, ella le sobaba la espalda a mi mamá. Me serví un plato de frijoles y me los comí lentamente haciéndome a la idea de que estoy educado (mi bonito juego fantasioso) muy por encima del dolor que produce el hambre. Contuve el gesto animal y lo hice así, despacio, como si comer no fuera nutrirse sino desmayarse. Estuve de espaldas para no verlos, luego me viré y los vi: ahí estaban en el suelo, amontonados como cadáveres envueltos en trapos, una mancha color mugre, los miembros confundidos, entrelazados o desparramados, una pierna encima de aquel brazo, unas espaldas, una mano como sola en aquella esquina, tres madejas de cabellos, y una cabeza muy visible, la de Juanito con la boca abierta. Así son mis hermanos todas las noches: un mundo sucio y sofocado, seres en fragmentos sumergidos en una pesadilla, algo hediondo, espeso y ronco.

Lupita estaba acostada en la cama, la única cama. Bien envuelta medía apenas medio metro. Sus cabellos brillaban mojados de sudor, embarrados sobre el rostro. Cualquiera diría que un gran miedo la había empapado. Tenía calentura y esa enfermedad a cuestas durante varios días, un mal desconocido; ni siquiera la habíamos llevado al doctor para que él nos dijera el nombre del daño y cómo curarla. Ahí estaba, balbuceando, enflaquecida. Yo podía oír ese ruidito de las carnes cuando se enjutan, tan parecido al de las cosas inútiles arrumbadas en el basurero, vulnerables al perder su color, crujientes. A eso sonaba Lupita.

Jacinta con su masaje apretaba la carne cansada de mamá y cabeceaba de sueño. Mi mamá le dijo que se fuera a dormir. Se echó ahí, entre los otros. La estructura de los cuerpos se hizo inmensa, tan quietos todos en la desgracia de ser pobres. Sin embargo algo se movía, yo podía saberlo y sentirlo: el hervidero de chinches y piojos, esa crueldad de puntitos miles substrayendo sangre; vivir y dormir con la plaga como única posesión.

Mamá y yo nos pusimos a platicar de cosas que nos parecían bonitas, que si el rosal de Doña Amada se había logrado, que si a Josefina, la tuerta, le habían traído a vestir un niño Dios, y que las telas eran muy finas, que la niña de Remedios siempre no se llegó a morir y ahora hasta sonreía, que la abuelita de la Petra pintó su silla de blanco, que esto, que aquello, todo lo decíamos con un entusiasmo sacado de los huesos, mientras ella alisaba la ropa con plancha de carbón.

De vez en vez mamá se apretaba el vientre y disfrazaba una mueca. Ya duérmete, me decía. Yo no dejaba de hablar. No terminaba de planchar la ropa cuando le comenzaron los dolores de parto. Fijé los ojos ahí, en ese globo de angustia que se inflaba y desinflaba; adentro un nuevo hermanito entre agua y sangre, en giro e impulso, separando huesos, abriendo camino.

Así como estaba agarró un hato de ropa de niño y se dispuso a salir. Voy con usted, mamá. Deja, eso es cosa de mujeres, duérmete. El sueño se me había ido muy lejos, sentía ese mismo miedo de todas las veces, esa mano adentro que me apretaba las tripas, unos ojos en el estómago mirando circularmente, tratando de comprender el misterio del nacimiento y de la muerte, y luego, ese odio inmenso, explosivo hacia el cabrón de mi padre.

Se fue sin dejarme acompañarla. Desperté a la Jacinta y la hice ir tras de ella. Me quedé ahí, con la mirada vaga. Lupita lloró con unos gritos zumbantes, los ojos en blanco, la boca grotesca, abierta en fundamental desesperación. Temí que se fuera a morir, sus carnes crujían, su llanto cada vez más atormentado, exacto al de las arañas pero con volumen. Las arañas lloran en forma horripilante, tan quedito que los hombres no las oyen, solo algunos como yo y Bernardo el pajarero. Es insoportable y lastimoso, sobre todo cuando lloran de amor y desesperadas se comen su propia tela de araña dejando boquetes para asomarse por ellos en soledad. Lupita lloraba como araña, traté de calmarla, me acosté con ella y la abracé muy fuerte; me humedeció.

Oí el ruido del barandal, los pasos y la voz aguardentosa del cabrón. Debí haberme quitado de la cama pero no lo hice. Algo me paralizó, era la rabia, el dolor, el susto, todo junto. De un golpe abrió la puerta. Lo primero que asomó fue su barriga desparramada. Me jaló de la cama y me tiró al montón. Quiso hacer lo mismo con Lupita. Traté de impedirlo diciéndole que estaba muy enferma. Me contestó que eso a él le importaba un carajo, que la cama era suya, toda para él, para el Papi, para el Rey, y también la botó al suelo. Soñolienta y febril se arrastró como rata escuálida, se pegó a los otros cuerpos y dejó de llorar. Nunca lloraba cuando él estaba en casa, no le daba la gana soltar lo único que podía expresar: llanto.

Él comenzó con sus gritos de todas las noches: "Antoniaaaa..." Y ese "vente pa' la cama vieja" me reventó los callos y la costra de la herida. Apenas y me salió la voz para decirle: mamá se fue con la partera, ya está naciendo otro niño. Soltó una gruesa carcajada que fue a estrellarse contra el techo. En intervalos reía y canturreaba. Se quedó dormido.

Yo era lo único enteramente vivo entre el montón de fatigados, alerta en medio de toda aquella respiración múltiple, absorbiendo un aire sucio que había ya pasado por todos los pulmones. La luz movediza de las veladoras manchaba de amarillo los andrajos y los pedazos descubiertos de cuerpos oscuros. Jalé un viejo periódico y me puse a leerlo. Mi ánimo se fue alterando con los encabezados; con cada letra sobre el crimen, un estallido de sangre; muertos que cruzan el umbral destrozados; asesinos cuya sustancia es la locura satisfecha: "Mató a su amante a hachazos", "Treinta y siete puñaladas le dio el hijo diabólico a su padre porque no le quiso dar diez pesos", "La descuartizada de Tlanepantla", "Lo estranguló y lo guardó en el ropero". Se me confundieron todas las imágenes, aparecían, rebotaban, se disolvían y volvían a ser, concretándose unas, esfumándose otras. La verdad, el sueño, las imágenes de las noticias, la memoria obstinada, vivos y presentes los recuerdos: mamá lava la ropa, el cabrón ronca; el vidrio encajado en el pie mugroso de Roberto, el cabrón arroja un escupitajo; Jacinta se baña ahí tras la cortina: el cabrón la perturba, le pellizca los pezones y la acosa, ella corre desnuda, chorreando agua y miedo por toda la casa, huye, cruza la vecindad y se refugia en el cuarto de la tamalera; la chamarra roja del cabrón colgada siempre; las várices de mamá a punto de reventar; las borracheras, la caída del cabrón sobre la olla de los frijoles, su espalda ardida, pequeñas manos de todos recogiendo los frijoles ardientes y llevándoselos a las bocas; "los sacos con los pedazos del cadáver descuartizado fueron hallados en el río de aguas negras"; mamá toda golpeada, el agua hervida con su chorrito de alcohol, Malena curándola del aborto provocado por la golpiza, los trapos sanguinolentos;

el cabrón montando a mi madre, un niño nuevo siempre en casa: las bocas gritando, hoyos de hambre; "Después de matarlo lo descuartizó, lo empaquetó y lo envió por ferrocarril a diferentes provincias"; el cabrón revolcándose con mi madre a la fuerza; Consuelo expulsando lombrices; mis hermanitos dando giros y frotándose la ropa al escuchar el silbato del afilador para que entrara dinero y suerte a la casa; la barriga del cabrón en primer término; mi madre con las piernas vendadas.

Algo se me reventó adentro, algo agitado entre las paredes de mi carne. Agarré las tijeras, me deslicé hasta el cabrón y se las encajé con furia. Gritó... Corrí hacia fuera, nunca antes mis pasos habían sido tan veloces. En las plantas de mis pies el tiempo intrépido me empujó hacia la partera. Balbuceos y gritos, obligado a disminuir mi premura en cada esquina.

Continué con aquella carrera cada vez más rápido y grité con mayor fuerza: se acabó, mamacita, ya acabé con el cabrón de mi padre. Lo acabé porque nunca supo ni siquiera respetar sus cuarentenas, por lo mucho que la usó, por los tantos hijos que le hizo. Se acabó, ¡se acabó! Ahora toda la cama es para usted y su niño más chiquito, y para los que quepan junto a su cuerpo.

Se acabó: reventadas en el aire las palabras.

Al doblar una esquina, ahí a mitad de la calle vi a mi mamá acostada en una cama dorada, tendida con sábanas muy blancas, cobijas suavecitas y colcha de encajes. Sus trenzas limpias y bien peinadas, rostro claro y sonriente, manos descansadas, camisón blanco, tranquila y feliz. Sentí que las lágrimas me escurrían hasta el cuello. Pura figuración, pero cuando la viera le gritaría con estruendo ¡se acabó! para que sintiera en toda su alma la liberación lograda.

Al llegar a la puerta de la partera corté la velocidad, me puse como pardo, empujé la puerta y entré de puntitas. Mi madre ya había dado a luz. Me miró con ternura, con los mismos ojos de aquella perra a la que el Grillo y yo ayudamos a tener sus perritos, una gratitud muy dolorosa. Me miró como si ya supiera lo que había hecho. No grité como lo había pensado. A duras penas me salió la voz, muy quedito le dije: ya se murió papá. La angustia le apareció en el rostro. Sin pedir ayuda se levantó, cargó a su chiquito, le pagó unos pesos a la partera y nos fuimos a la casa.

Pensaba en lo que venía: el velorio, el llanto, el conseguir dinero para el entierro, el cabrón en el hoyo aplacado para siempre. La cama para mi mamá y... la tranquilidad.

Se hizo un silencio largo antes de abrir la puerta, el tiempo se quedó muy quieto, detenido en el espanto, hasta que Jacinta se atrevió a empujarla.

Ahí estaba el cabrón, desnudo, sentado, apenas con un boquete cerca de la clavícula, manchado de sangre seca, miraba con rabia de demonio. Me clavó los ojos muy punzantes en la entraña; me estremecí. El montón era ahora ojos todos muy espantados, manos apretando las cobijas, labios pegados y secos. Yo no sé qué pájaro se había llevado todos los sonidos del mundo. Nadie hablaba, paralizados, semejantes a las figuras de cera. A mí me salió la voz con sangre: lo quería muerto para que ya no tocara a mi mamá.

Su mirada tuvo una luz roja de incontinencia. Luego me dijo: ¿Crees que te voy a pasar esta carajada? Conque no te gusta que yo me coja a tu mamá... pues es mi vieja, tengo derecho a ella cuantas veces me dé la gana, por encima de ti y de todo este montón. Te voy a aleccionar. ¡Antonia, desnúdate y acuéstate! No, musitó ella. Y Jacinta le dijo que estaba muy mal, que todo había sido muy difícil.

Ordenó entonces con mando brutal y mi madre obedeció como se dobla una yerbita bajo la tormenta. Él puso la silla ahí muy junto a la cama y me sentó a la fuerza: para que lo veas todo muy bien y entiendas que lo seguiré haciendo cuando me dé la gana. Pon al escuincle en el montón. Jacinta tomó en brazos al recién nacido y se fue a colocar en aquella masa de ojos espantados.

Mamá se desvistió sin quitarse las pantaletas abultadas por los trapos. La obligó a quitárselo todo. Tenía sangre en las piernas. La tiró en la cama y empezó a hacerle aquello. Cerré los ojos. Sentí un bofetón. Ábralos bien y vea:

El Papi, el Rey hacía lo de siempre.

Rueda la canica por tierra, cruza el círculo trazado con una vara, pasa de largo sin caer en el hoyo. ¡Perdiste! Oye, ¿y por qué quieres matar a tu padre? A pesar de su mala memoria el Grillo no lo había olvidado. Se me quitaron las ganas de seguir jugando. Por eso me vine aquí, a ver pasar el ferrocarril, a pensar en los bultos, a imaginarme que el cabrón ya está empaquetado.

Stasho

Todo empezó aquella mañana en que me dijo: "A mí no me quieren en mi casa". Tras su confesión, avergonzado, miró fijamente al sol, como lo hacía siempre que se le desbordaba el llanto. Así nadie podía percibir que esas lágrimas eran arrojadas por un dolor intenso que le subía hasta los ojos.

Poco importaba la carencia de afecto en su casa; lo quería yo. Era mi único amigo. De él lo que más me gustaba era su edad, nueve años, y su nombre: Stasho.

Casi siempre estaba callado y su mirada era suavecita con temor de molestar a las cosas que miraba. En su bolsa de cuero guardaba pedazos de corteza de encina. Tenía una cadena colgada al cuello, y no había día en que no contara sus eslabones, temeroso de que fuera a disminuir y lo ahorcara. A todas partes cargaba su cuchara de madera. No le gustaba comer con ninguna otra. A mí, a veces me la prestaba, cuando compartíamos el arroz con leche que me daban en mi casa para llevar a la escuela.

Al final de todo lo que escribía, ya fueran recaditos, apuntes o tareas, anotaba: "Tuyo en Cristo". Me dijo que la frase no la había inventado él, que era usanza de Juan el Apóstol. Le gustó y por eso copió la costumbre, porque Cristo es amor y decir "Tuyo en Cristo" es una forma de decir "tuyo en amor", aunque la gente no tenga conciencia de ello. Le agradaba decir cosas con un sentido tan propio que resultaban difíciles de comprender a primera instancia. Una especie de lenguaje secreto, íntimo.

Siempre al pasar por el cementerio sentía profunda tristeza y se preguntaba la fecha en que lo llevarían ahí con todos los muertos. En el lugar donde entierran a los niños, me decía: "¿Oyes cómo juegan?" Yo pegaba mi oído a la tierra y no escuchaba nada. Él sí tenía esa facultad, la de oír las voces del silencio y los rumores de todo lo que nos sobrepasa.

Roja, como nueva, era la cicatriz en su cara. Apenado, mantenía la mano extendida sobre su mejilla. Esa marca del menosprecio fue hazaña de su madre, aquella vez que fuimos al río a capturar ranas y libélulas. A falta de recipiente usamos uno de sus zapatos, que en un descuido nos arrebató la corriente. Llegó a su casa descalzo de un pie, con los pantalones mojados y llenos de lodo. Por tal causa fue la paliza. Soportó los golpes en silencio, sometido de bruces, la cara metida entre los muslos y las manos en la nuca; un nudo callado y tembloroso. Y el nudo fue deshecho a garrotazos, piernas y brazos se extendieron, quiso hundirse, huir hacia abajo, tierra impenetrable.

Me di cuenta qué delgado es un niño cuando está a ras del suelo mortificado a golpes, incapaz de defenderse. Volvió a la posición de ovillo. Su madre lo jaló de los cabellos tirándolo hacia atrás, su cuello se curvó con toda la expresión del martirizado. Una parte de la cabellera quedó en la cárcel de los dedos agresores y la otra colgaba abundante, sacudida, precipitándose al caos de los regaños, escupitajos y gritos. La camisa desgarrada dejó escapar un trozo de imagen, costillas que remarcaron su delgadez. Levantó sus pupilas suplicantes y fue entonces cuando la madre le dio el fuetazo en la cara; dejó marcado para siempre en su mejilla la evidencia del castigo por una nadería. Después, la mano extendida, triste disimulación.

Durante nueve días Stasho faltó a la escuela. Cuando nos volvimos a ver no comentó nada de lo sucedido. Para humillarlo su madre le prohibió usar zapatos, desde entonces anduvo descalzo. Le molestaba tener sucios los pies, constantemente se los lavaba en el pozo o en el riachuelo que cruza el bosque. ¡Qué blancos eran sus pies! Para no lastimarse caminaba sin peso, solo aura, niño enfermo siempre, angelado y descalzo. Stasho era frágil y dulce.

Muchas veces planeamos huir, queríamos irnos a la aldea donde yo nací y en la que se quedó mi abuelo viviendo solo. Allá todas las costumbres son diferentes. Le explicaba a Stasho que aquí la gente es fría a causa de la altura montañosa y de la nieve, de las heladas noches, del agua casi congelada. Sin querer culparla pensamos que es así a causa del clima que todo lo hiela, hasta los sentimientos. En cambio allá, en la aldea situada en el templado valle, el sol hace que todo sea luminoso y cálido. Aquí predominan los verdes, azules y blancos; allá, los rojos, amarillos y sepias. Los colores hacen que la gente sienta en forma diferente, influyen en las emociones.

Mi aldea está muy lejos y yo he olvidado el camino de regreso, así que el abuelo noble y solitario, el fuego del sol y el calor de los colores solo existían en nuestros sueños. Platicar de eso era confortante: la esperanza de un deseo, elaboraciones dulces de lo secreto.

Stasho se estaba lavando los pies en el riachuelo, blancos y adoloridos por el agua fría, los dedos engarrotados. Recuerdo cuánto se los talló hasta que le quedaron perfectamente limpios. Su voz fue más suave que nunca: "De no irnos a tu aldea, sería bueno que yo lograra que mi mamá me quisiera". Sin contestarle le di masaje en los pies para quitarle el dolor y lo entumido. Se tiró sobre la tierra mirando las puntas de los pinos. Me di cuenta qué pequeño es un niño descalzo, tirado ahí a mitad del bosque, diciendo que nadie lo quiere en su casa. Qué pequeño y qué solo. Le toqué las lágrimas, le acaricié la cicatriz y creí poder apretarlo entero dentro de mi mano. Era necesario hacer algo para moverles el corazón a sus padres y lo amaran. Se me ocurrió la idea: un intento de suicidio.

Ya verás, Stasho —le dije—, cuando te encuentren medio muerto, cuando sepan lo triste y solo que te sientes por falta de cariño al grado tal de preferir la muerte, desesperados se abrazarán a ti, te salvarán y te verás amparado al calor de sus corazones; sobre tu piel sentirás caer sus lágrimas mientras te acaricien los cabellos. Entonces te cuidarán para que te restablezcas y van a procurar no dejarte solo nunca más.

Se volvió con rapidez hacia mi cuerpo, agarrado a mis muslos hundió en ellos el grito repetido: "¡Sí lo quiero, quiero ganarme el cariño de mi mamá! ¡Sí lo quiero!

Lo planeamos todo. Se comería un puñito de veneno para ratas y, en el momento en que sus padres lo llamaran para la lectura de la Biblia, él estaría en el granero. Siempre se refugiaba ahí, de donde lo sacaban a gritos todas las noches para obligarlo a la sagrada lectura. Cuando fueran a buscarlo lo encontrarían enfermo, moribundo. Yo estaría alerta para ir a traer al curandero. Esto sería el principio y luego ya vendría el cariño para él.

No sé cuánto veneno comió, de seguro no fue la pequeña porción convenida. Lo encontraron muerto y lo llevaron a rastras hasta el interior de la casa. Rápidos se vocearon los avisos y la gente se apresuró a llegar. Entré con algunos mirones y lo vi tirado ahí, con el rostro, las manos y los pies casi negros. De tanto veneno que ingirió, en unas cuantas horas se puso oscuro. Me acerqué a él con el terrible anhelo de sacarlo y llevarlo a bañar al río. Él era tan feliz cuando se miraba su piel blanca, limpia, y ahora... ahora...

Dos manos fuertes me tomaron de los hombros y fui lanzado afuera. Volví a entrar y me quedé muy quieto para no ser advertido. El rostro de su madre se llenó de gestos y vomitó sobre Stasho expresiones todas coléricas: "Mierda, devoto de Satanás, tenías que ser tú quien oscureciera esta casa". Los concurrentes escupieron, trazaron un signo en el aire y se retiraron.

"¡Fuera!" —gritó el padre— y salí corriendo, con tropezones a diestra y siniestra y caídas. Tuve la sensación de que giraba en el viento. De todo lo que grité ninguna palabra me salió completa. Llegué hasta mi casa, traté de decirlo todo, de reclamarlo todo, exigirlo todo; pedazos de palabras, trozos de llantos, manotazos, jadeos fueron mi torpe expresión. Mi padre me sacudió intentando serenarme; mi madre, aturdida y sin entender nada, me tiró encima una cubetada de agua. Mucho más entrecortados fueron mis sollozos, después pude darles una débil semblanza de lo ocurrido. Se horrorizaron: "¡Cayó al infierno! ¡Ese niño cayó al infierno!".

¿Qué era eso de que mi dulce amigo cayó al infierno? ¿Stasho ahí, en la profunda caverna cuajada de culpas y expiaciones, de lenguas bífidas y falos en llamas? Por buscar amor, ¿puede un niño ser arrojado al rigor de los espíritus maléficos? Me explicaron que todo el que intenta contra su propia vida se convierte en hijo de Satanás. Me dijeron muchas otras cosas que me parecieron tontas y enmarañadas. Aquí las cuestiones de la fe son muy contradictorias y desconcertantes.

Según la costumbre en estos casos, el Pastor no asistió a la casa del difunto. Nadie quiso volver ahí, ni siquiera para saciar su curiosidad. Yo me escapé de la cama y anduve merodeando por su casa. Espié, los vi: el padre y la madre estaban sentados en el quicio de la puerta. Lloraban, pero al parecer no por Stasho sino por ellos mismos. La noche les caía encima.

Adentro, Stasho, ahora cadáver, silencio completo sin caricia, yacía tirado en un rincón. Está prohibido velar a los suicidas. Ni una lamparilla, ni una oración, ausente el olor a incienso. La casa completamente apagada.

Después de algunas horas, siguiendo la legislación canónica que niega sepultura religiosa a quienes han violado las normas de la fe, se decidieron a deshacerse del maldito despojo. En medio de la oscuridad, entraron y, como los suicidas no deben salir por la puerta de la casa, arrojaron a Stasho por la ventana sobre una carretilla. El golpe de su cuerpo al caer no los estremeció, solo mis carnes se estrujaron, grité hacia adentro de mí con toda la sonoridad oculta de mi angustia.

Se encaminaron hacia donde se juntan los tres caminos y la vía del tren. Los suicidas son enterrados en la encrucijada, debajo del árbol donde ahorcan a los ladrones y criminales. La carretilla fue levantada verticalmente, Stasho rodó al suelo. Le prendieron fuego al cadáver. Vi entonces qué frágil es el cuerpo de un niño, suicida por equivocación, quemado para aliarlo al oscuro Satanás. Las llamaradas conservaron la forma humana, niño de lumbre pero frío por la carencia de cariño hasta su último momento en aquel supersticioso contacto con sus padres.

Con la mirada puesta en su cuerpo encendido recordé el suicidio de Saúl, las ceremonias fúnebres que lo honraron. La Biblia no dice que por haberse quitado él mismo la vida haya sido condenado a la alianza con el demonio. Acaso porque aquel fue rey de los hebreos estuvo exento de culpa, en cambio, Stasho era un niño común, hijo de aldeanos. Hice lo que David hizo: rasgué mis vestiduras como manifestación de dolor, y todavía más allá, desgarré mi carne.

Cavaron y enterraron los residuos carbonizados de Stasho. Sobre la tierra removida marcaron el signo de Satanás. Raudos, como empujados por el viento, se alejaron del sitio. Yo sollocé muy largo sobre el túmulo, pegué mi oído a la tierra con deseo de escuchar algo, pero Stasho era todo silencio. No fue la muerte, sino el dolor, lo que le enmudeció.

En la madrugada sus padres quemaron la casa. El incendio duró horas. Después solo quedó a la vista un rectángulo negro. Nadie se atreve a vivir en la casa donde alguien murió por su propio albedrío. Significa quedarse dentro de la maldición, porque aquellos que habitan la casa de un suicida serán manipulados por el diablo. Así son estas oscuras creencias.

Las sombras fueron desgajadas por el alba y una

luz intensa y vidriosa iluminó la aldea. Los padres de Stasho echaron la última mirada a las cenizas y partieron para siempre, desposeídos de todo, miserables, encaminados hacia alguna aldea lejana a la que llegarían ocultando su secreto.

Cuando paso por el cementerio sé que a mí, como a Stasho, no me enterrarán entre todos los muertos que merecen campo santo. Estoy esperando cumplir quince años para ganarme la muerte en la horca, y lo conseguiré al robar todas las biblias de la aldea. Y pienso hurtar muchas otras cosas más, como los objetos sagrados de los templos. Voy a envenenar a los gansos y al ganado, haré que la presa se desborde e incendiaré el aserradero. Entonces me colgarán del árbol de los malditos, ahí en la encrucijada, sobre el alma de Stasho. Voy a tener el puño bien cerrado, apretando un papelito escrito: Tuyo en Cristo.

Stasho y yo nos encontraremos en la muerte, iniciaremos el juego, no con los niños del cementerio sino aparte, solos. Jugaremos por toda la aldea, trepados en largos zancos rojos de ira. Y por encima del pueblo veremos cómo la neblina le enfría los sentimientos a la gente. Seremos testigos de su desamor desde arriba con toda la altitud de nuestro odio. Y cuando veamos a los niños abandonados, a los niños que no han sido queridos nunca, dejaremos los zancos y jugaremos bajo las plantas de sus pies.

Macedonia

Macedonia sabe que la muerte es: quitarse el maquillaje, lavarse la cara, descansar un poco, volverse a maquillar dibujando en el rostro el personaje que se ha de interpretar y estar predispuesto para la siguiente función.

El oscuro, las voces que se acallan a la tercera llamada, los músculos tensos de los creadores y la expectación del público son los síntomas del grave padecimiento que se renueva. El teatro es sagrado para los teatreros, pero para la gente ajena a este arte que exige misteriosa entrega, simplemente es visto como una enfermedad.

Animada por heredadas supersticiones, Margaret Lower, campesina convertida en actriz de un teatro de provincia, amarra a la cuerda del telón un listón rojo que representa la cola del diablo para que no cambie las cosas de lugar ni haga trastabillar a los actores. Bajo la palabra "mierda" tres veces pronunciada, los corazones de los actores bombean sangre dispuestos a alimentar un cuerpo ajeno: la función.

Margaret Lower tenía dieciséis años cuando se enteró de que un griego estrafalario, Eumenes Malanos, intentaba formar un grupo de teatro. La obra a representar era "Ifigenia en Áulide". Margaret fue aceptada como parte del coro y durante meses ensayó bajo la dirección de Eumenes. La tragedia de Eurípides se estrenó con éxito y se mantuvo en cartelera gracias a la constante afluencia de público. La gente solía asistir por las noches al teatro como parte obligada de las actividades diarias y si habían visto cuarenta u ochenta veces la misma obra no se aburrían ni pedían cambio sino que les era imprescindible seguir viéndola como se precisa el aire y la luz. Cuando la actriz principal dejó la obra, Margaret tomó su lugar. Sacar el papel no fue fácil y necesariamente tuvieron un sinnúmero de ensayos privados, intimidad que desencadenó un apasionado romance entre ella y el director.

Margaret ha sido lo que se llama una actriz visceral, de garra, de esas que se apoderan de los espectadores y que por la misma razón pasan a ser propiedad privada de ese público simbiótico. Desde que interpretó por vez primera Ifigenia representó el papel sin descansar un solo día, ni siquiera cuando dio a luz a Macedonia. La niña nació en uno de los camarines minutos después de que su madre había cumplido con la función. Y al día siguiente, Margaret, que tuvo un parto feliz, retomó su obligación teatral. A nadie le sorprendió este hecho porque es común que las campesinas de los alrededores den a luz, se duerman unas horas para reponer sus fuerzas y vuelvan a las labores del campo. Con la alegría de las madres que retornan a la tierra a cumplir sus deberes, Margaret retomó el escenario.

Eumenes tuvo que regresar a Atenas. Cada dos o tres meses escribía dando consejos profesionales y prometiendo que regresaría. A pesar de su partida el grupo de teatro se consolidó gracias a un subsidio estatal. La obra se ha vuelto parte de la vida de la pequeña provincia. El público acude al austero teatrito de la misma manera que va a los mercados, templos y parques, un hábito, una especie de tradición popular. Las tres ocasiones que el grupo intentó estrenar otras obras, el público furioso y obstinado deshizo las escenografías, ocupó las butacas y exigió se presentara "Ifigenia en Áulide", siempre Ifigenia. En vano los actores comentan entre sí que ese fenómeno es antinatural y aunque todos los días se van a sus casas tras haber renunciado, movidos por una fuerza extraña, al día siguiente regresan a cumplir con la función como si se tratara de un destino inevitable.

Macedonia ha crecido entre bambalinas y para ella la función es la única verdad posible de la existencia. Todos los días es lo mismo: ella y su madre se levantan, desayunan cualquier cosa, salen a caminar, se detienen en la tienda donde venden animales, observan a las distintas especies que están en el aparador y se van al teatro.

El mundo tras el foro es oscuro y frío por la humedad del viejo edificio y por la falta de ventanas, pero ahí el grupo, día con día analiza y discute las peculiaridades de los personajes, ejercita sus emociones y todo resplandece. La energía provoca centellas cuando expresan tan agudos dolores, iras, congojas. Esmerados en el mantenimiento del foro unos se ponen a martillar, otras a zurcir telones y no falta quienes anden en el pasagatos instalando nuevos focos y reafirmando la colocación de las luces que darán la apariencia de un escenario en llamas. Una hora antes de la función todos van a sus camarines a interiorizarse, meditativos, concentrados en los personajes prontos a interpretar. Los figurantes se transforman.

A pesar de los siete años de representar día con día lo mismo, Margaret Lower jamás ha sentido el menor asomo de hastío ni un solo dejo de mecanización. Noche a noche, encarna a la supliciada Ifigenia con tan extremada sensibilidad que cabe pensar en el poseso.

Macedonia, tras la cortina, observa la obra: No hay aire que mueva las hojas de los árboles ni las velas de los barcos. La quietud es sofocante. El rey Agamenón, jefe de los argonautas, debe conducir su flota hacia Troya, lejana ciudad a la que le ha declarado la guerra. Vientos muertos impiden la navegación y él invoca a los dioses quienes le ofrecen ayuda a cambio del sacrificio de su hija Ifigenia. El rey lanza gritos de súplica y horror ante el cruel oráculo. Cientos de soldados bajo su mando, impacientes y enardecidos, dispuestos a atacar a Troya y otorgándole mayor valor al Destino, lo obligan a cumplir la demanda de los dioses. En vano la madre, Clitemnestra, defiende la vida de su hija. En vano Ifigenia implora piedad a su padre, en vano su discurso de amor filial, en vano su inocencia que no logra conmover a los soldados. Una sola voz, la de Ifigenia implorante, contra el exigente vocerío del ejército. Para el rey, difícil decisión entre salvar a su hija o responder a sus deberes con su pueblo. La adolescente es entregada por su padre a la hoguera. No es un cordero el que ahí arde, es Ifigenia, su hija más pequeña y mimada, ¡su tierno retoño en llamas! El coro vociferante pregona la crueldad del progenitor infanticida. La escena se oscurece con la fatalidad y crecen los lamentos de las plañideras mezclados con los gritos de guerra. Tras el holocausto se desatan los vientos propicios y las naves consiguen avanzar hacia Troya. Los argonautas parten con gritos de entusiasmo. Agamenón se yergue triunfante.

No obstante que Macedonia ve a los tramoyistas crear los efectos de vientos, llamas y barcos surcando mares, no ve el simulacro como tal, para ella, lo que en el escenario acontece, verdad es.

Consumada la tragedia, el telón cae. Brotan los aplausos, Margaret permanece unos instantes desfallecida y luego de pie se inclina y agradece la ovación. Cuando entra al camarín, Macedonia la observa cómo se cubre el rostro con crema blanca y poco a poco, con algodones, se quita las oscuras sombras, las líneas rojizas que le han dado un toque de irritación a los ojos; limpia los azulosos trazos de rictus y agobio. Reaparece el verdadero rostro de Margaret, bien lavado, descansando bajo la suavidad de la vieja toalla húmeda con agua de rosas. Para la niña eso es la muerte: después de la agonía, de las llamas, morir es recibir aplausos y lavarse el rostro. Así todos los días. De nuevo Margaret, "mamita linda" está ahí; pálida e insípida recibe los abrazos y felicitaciones. Macedonia permanece callada escuchando los comentarios de los actores y del público. Ya solas, Margaret le pregunta "¿Qué te pareció la función?" a lo que la niña responde "muy bonita". En este pequeño diálogo se concentra la ternura de dos mujeres que al parecer no tienen más vida que la que acontece en el teatro.

Arrancadas de la mágica caja teatral, de regreso a su casa, Margaret y Macedonia solo son dos sombras abatidas por los vientos helados. Llegar a su departamento es algo confortante. Ambas se meten a la bañera de agua caliente y juegan con las esponjas y las espumas de sales minerales. Se envuelven en la misma toalla y una a la otra se frotan con bálsamo de algaria. En camisón de dormir, al calor de las cobijas se ponen los guantes que en cada dedo cobra vida un personaje de Ifigenia en Áulide. Los pequeñísimos guiñoles, con máscaras y vestuario, son idénticos a los del teatro. A Macedonia le corresponde mover el coro. Ahí, de nuevo, se representa la tragedia de Eurípides hasta que la niña es vencida por el sueño. Entonces Margaret le escribe a Eumenes, le cuenta con detalle cómo salió la función del día y le informa sobre lo bella y crecida que está su hija. Al final de la carta agrega la misma posdata: Creo que he madurado lo suficiente como mujer y actriz y podría ya interpretar a Clitemnestra, pero en espera de tu regreso, te besa tu constante Ifigenia.

Han pasado más de ocho años desde el estreno: hoy

se cumplen 2,980 funciones. Hoy como siempre, Macedonia tras los telones de oscura tartalana observa el rutinario trabajo artístico. Como si lo viera por primera vez, todo la emociona: el sollozo de Agamenón cuando el viejo sacerdote le comunica lo que el oráculo vaticina y lo que los dioses demandan; las voces de los guerreros que exigen despegar las naves; las súplicas de la horrorizada Clitemnestra; Ifigenia subiendo lentamente los peldaños de su destino; la hoguera que devora su cuerpo; el aplauso del público.

Margaret entra exhausta al camarín y cuando Macedonia le acerca al aguamanil, se niega a limpiarse el rostro. Se queda de pie, mirándose fijamente en el espejo. Se desploma. Actores, técnicos y curiosos se hacinan a su alrededor. Alguien grita "está muerta" y crece un murmullo doloroso. Para Macedonia la muerte es simplemente subir los peldaños al altar de los holocaustos, ser devorada por una hoguera al tiempo que el viento mueve a los navíos y se desata un fondo de aplausos. Luego solo hay que quitarse el maquillaje y lavarse la cara. Así ha sido siempre.

Macedonia, serena y sonriente, cubre de crema el rostro de su madre, con algodones le quita el maquillaje y con la toalla mojada en agua de rosas elimina los residuos y la refresca. Al ver que no reacciona repite varias veces el ritual de limpieza mientras todos la miran compasivos. Louisa, la actriz que interpreta a Clitemnestra, abraza a la niña y trata de explicarle lo que es la muerte. Maquillan de nuevo a Margaret como si fuera a dar una función más, y la llevan al escenario para ser velada. El público, de pie, le hace honor en silencio. Una procesión de cientos de personas pasean los restos de la amada actriz por todas las entristecidas callejas de la ciudad. Con llantos y flores Margaret es enterrada en lo más alto del cementerio.

Macedonia, sin comprender lo sucedido, ha dormido con Louisa. Al día siguiente, juntas llegan al teatro donde los actores se dieron cita para tomar decisiones. El público ha llenado las butacas y exige la función como siempre. Sin Margaret Lower es un absurdo, pero los actores piensan que si el público lo pide, se ha de dar la función sin su presencia y quizá baste imaginar sus apariciones en escena y rememorar sus parlamentos que todos saben de memoria. Sin que nadie se asombre, cosa extraña, al tiempo en que Margaret debe entrar al escenario, Macedonia, tomando su lugar, surge interpretando el papel con la soltura de quien bien ha interiorizado el tono y la vena del personaje. Es así como en el Teatro Clásico, una niña de siete años es la intérprete de Ifigenia en Áulide. Todos saben que así sucederá de por vida, porque ese público fiel y simbiótico, impone la fuerza de la costumbre. Por siempre Ifigenia.

Mecanismo

—Dime, Paulito ¿fuiste tú?

—No mamacita, te juro que yo no fui. Te lo juro.

Oralba mira al niño de ojos hinchados, abiertos en el espanto. Zarandea al pequeño cuerpo, matorral humano sacudido una y mil veces para hacerle tirar los frutos de una confesión demasiado esperada, urgente.

—Te juro que yo no fui.

Es la única respuesta siempre atemorizada y pálida. En vano abre los ojos llenos de lágrimas, negación rotunda jamás creída por su madre.

—Muéstrame las manos.

—Te juro que yo no fui.

Extiende las manos temblorosas y débiles, pintadas de azul, uñas devoradas, dedos masticados. En los labios es donde más se acentúa la manía salivosa de un sentimiento de culpa; mordisqueados, sucios, con leves costras y a veces reventados, sangrando.

— ¡Mira qué manos! ¿Cuándo vas a dejar de comerte las uñas? Y además, atascadas de pintura.

—Estuve pintando.

— Y antes de estar pintando, ¿qué hiciste? ¿A qué hora fue? ¿Cómo pudiste hacerlo? Me causa horror verte las manos. Son crueles, míralas bien, son asesinas.

—Yo no lo hice, mamá.

Oralba lo lleva hasta el baño. Lo sube al banquito para ayudarlo a alcanzar la palangana. Vacía agua, le unta jabón y lo frota con una fibra áspera. Las manos se resbalan queriendo escapar de la vida. La porcelana se mancha de azul y vuelve a ser blanca con el chorrear del jabón y del agua. Lo seca.

—¡Mira nada más cómo tienes los labios!

Lo carga y lo asoma al espejo. Paulo, en lo primero que se fija es en su larga cabellera que, abundante y demasiado crecida cubre todo el espacio del azogue. Le han dejado largo el cabello en cumplimiento de una manda. Se mueve hacia un lado y aparece en el espejo parte del rostro de Oralba, tensa, el ojo inexpresivo y el pómulo húmedo por un llanto de impotencia. Él se mueve hacia la izquierda y tapa la imagen de ella. Se impulsa hacia el vidrio y mira más de lleno sus propios ojos. Entre más se acerca a mirarlos, estos parecen crecer y se llenan de lágrimas. Advierte su nariz enrojecida, y luego se detiene ahí, en los labios, gruesos, hinchados, reventados, con ese contorno rojo, inflamado y ardoroso a causa de la saliva reseca. Se mira bien y no se gusta.

Oralba lo retira del espejo. Lo pone de pie. Dominante, lo observa desde su altura. Paulo no puede abarcar en sus pupilas esa ira silenciosa, circular, de retina acusativa.

—Ahora, sácalos de la bañera.

— Pero si yo no fui, mamá.

— ¡Sácalos!

Paulo se acerca a la tina. Mira a los pájaros ahogados, hunde sus manos en el agua y ve reflejada su mirada de tristeza. Mueve los dedos con la intención de inspirar a las aves al movimiento. Son unos cardenales. Con las plumas mojadas han quedado reducidos a desagradables borujones inanimados. Ni siquiera lo cristalino del agua logra borrar la oscuridad de los diminutos ojos sin brillo. Interiorizada la imagen, Paulo siente miedo a la muerte. Agarra uno, angustiado se vuelve hacia su madre y suplicante se lo muestra.

— Sácalos todos.

Paulo se levanta su hábito de los Carmelitas Descalzos y echa en él uno a uno los doce pájaros. La muerte chorrea por entre la tela. Al sentir en los muslos aquello carente de vida le produce un dolor amalgamado al asco.

—Voy a enterrarlos, mamá.

—No pongas esa cara de tristeza. Primero tienes la crueldad de matarlos y ahora te dignas a ponerte triste. Tíralos a la basura.

—Quiero enterrarlos.

— ¡A la basura!

Va al patio y los arroja al basurero. Conociendo el castigo de siempre, se mete a su cuarto y con el hábito mojado se acuesta en la cama. Se le enfrían las piernas y viene a su mente su primer recuerdo: orinado, metido en la cuna, la ventana abierta, el calor de nuevos orines y luego el frío doloroso.

Oralba le lleva las cinco jaulas vacías, las coloca estratégicamente visibles para que ese niño de cuatro años comprenda de una vez por todas el significado de la muerte.

—Aquí están tus trofeos. Tendré que hacer venir otra vez a tu tío Nicolás. Esto ya es intolerable.

Sale dando un portazo. Paulo se levanta sin hacer ruido. Mira una a una las jaulas solitarias. Abre sus puertecitas y mete las manos, agita los dedos en simulacro de aleteo. Se cansa, largo rato permanece estupidizado y sin moverse. Agarra los pañuelos desechables y dentro de las jaulas tira pedacitos de papel ligero en un empeño de querer reconstruir la existencia de los pájaros. Escucha la llegada del tío Nicolás. Se mete a la cama y se hace el dormido. El sonido de su corriente sanguínea, la respiración agitada y miedosa, apenas le permiten oír la conversación lejana.

— Y esta vez ¿qué fue?

—Ahogó mis pájaros en la bañera. Tienes que reprenderlo. No es normal que haga estas cosas. Está mal de la cabeza.

—Y... ¿cómo va a poder estar bien si no le permites vivir como un niño normal? Desde que nació lo traes vestido con ese hábito. Todo esto no es más que el resultado de esa estúpida manda; el atuendo café, el pelo largo, el no permitirle jugar con los demás niños.

—Pronto se acabará eso, cuando vuelva su padre.

—Oralba, ese hombre no volverá nunca, mi hermano se fue odiándote.

Ella no puede vivir con esa nostalgia definitiva. Jamás aceptará la costumbre de la ausencia del hombre que le dio un hijo. En la puerta está toda la esperanza. Volverá a verlo entrar de la misma manera en que lo hacía en aquellos días breves y casi ya desvanecidos, cuando fueron amantes. Ese hijo, Paulo, el que lleva su nombre, fragmento de su carne, es suficiente motivo para hacerlo volver.

— ¿Nunca? Tú deberías buscarlo, obligarlo a regresar. Debe saber que su hijo no está bien, que lo necesita.

Nicolás la mira con desprecio. Camina de un lado a otro. Arroja al aire una tos ronca y nerviosa. Paulito se encoge dentro de las sábanas, piensa que ha llegado el momento de la paliza. Anticipadamente le duele el cuerpo. Las pisadas van y vienen sin detenerse en ninguna parte. Oralba tiene toda la apariencia de caracol vuelto hacia sí mismo buscando entre los recovecos el fondo de una angustia espesa y viva.

Nicolás sale sin despedirse. Oralba corre y pega su cuerpo a la puerta. Lanza un grito de murciélago bañado de luz. Presa de llanto se mete al baño y repite en tonos desesperados el nombre de Paulo.

El niño, como siempre, duda si se refiere a él o a su padre. Desea ir a abrazarla pero el miedo lo ata a las sábanas.

El llanto de Oralba sale desde el baño por la puerta abierta, se estira y escurre por los pasillos y toca todos los rincones de la casa. Paulito se desprende de las sudadas sábanas, inadvertido camina hacia el quicio y observa: Oralba de pie frente al espejo, proyecta para sí misma una mueca de insaciabilidad. Con la falda caída al suelo, la mano entre las piernas, los dedos queriendo alcanzar la vagina, con movimientos rápidos dispersa el espesor de la soledad. Activa un remoto placer en la carne herida por uñas y dedos inmersos, cavando en sí misma, estalla el sollozo. Paulito escucha ese grito como si fuera un miembro desprendido, un pedazo de pulmón o un jirón de lengua. El miedo lo hace volver a su cuarto. Oralba se tranquiliza hasta reposar en el silencio; entra y se tira sobre la cama, junto a su hijo del que piensa solo es un residuo de aquel hombre deseado al que posiblemente no volverá a ver nunca. El niño la advierte dormida, se levanta y se quita el hábito, camina desnudo por la habitación para curarse las tristezas con el aire, y cuando el sueño está por vencerlo, se viste de nuevo y se duerme a los pies de la cama mientras se avecina otro día.

Ahora, Oralba con un grito revienta el peso de la visión espantosa. El horror circula en todo su organismo y los pulmones sin aire le duelen en su oquedad. En el árbol seco se mecen tres gatos colgados, aún sangrantes. La tolerancia se rompe y Oralba tiene la sensación de gritar en el hueco del espanto. Paulito va de mal en peor, cada día más cruel y más mustio, encuentra regocijo en la muerte. La diversión de sus sentimientos enfermos, es terrible.

— ¿Por qué lo hiciste?

—Yo no fui, mamá, te juro que yo no fui.

Otra vez la negación aguda y larga. El "yo no fui" arroja agujas perforando el aire. El niño, al ver los gatos, siente que el miedo le estalla dentro del estómago. Vomita.

— Ahora gatos; mañana matarás a un hombre. Tienes manos de criminal.

Paulito, como siempre, le muestra las manos temblorosas. Esta vez están teñidas de rojo.

—Tienes sangre en las manos.

—No mamá, es pintura. Te lo juro, te la enseño.

De prisa va a su cuarto, ávido en demostrar su inocencia. En la torpe carrera se le revienta una sandalia que deja tirada a mitad del camino. Vuelve con la hoja manchada en rojos.

—Mira, mamá, estaba pintando el mar.

— ¡Rojo! Eso no es el mar. El mar es azul. Lo que pintaste es tu fechoría: tres gatos ensangrentados.

— No mamá, no son gatos. No es sangre, es el mar. Es el mar.

Desesperado, acerca la pintura al oído de Oralba.

— ¡ Es el mar !, ¿qué no lo oyes?

Paulito se desata en gritos. Por sus gesticulaciones parece tener metido el rostro en el fuego. El vómito se repite. Oralba lo sacude y el llanto adquiere un ritmo frenético. Baba, lágrimas y vómito saltan hacia todas partes, fuente que provoca el asco. Y así lo abraza. Un gato blanco que camina por la barda maúlla. El maullido la devuelve al pánico. Mira a los gatos colgados y aterrada, camina hacia atrás, huye hasta refugiarse en la casa. Paulo se queda llorando en el patio y tal desbordamiento lo debilita y el sueño lo invade. Como siempre entra a su cuarto, se mete a la cama y ahí permanece encerrado durante dos días.

Paulito está pintando un árbol rojo. Bien sabe que son verdes pero el color rojo es ya su única expresión.

Oralba se mira en el espejo con total desaliento. A fuerza de mirarse se desconoce. Un rostro transfigurado se mueve en el vidrio. La lengua caliente se encuentra con la lengua fría; la pasa por todo el cristal y deja una huella de saliva cansada. Para opacar el reflejo de su rostro unta el espejo con crema. La lame y vuelve a verse, hundida en algo brumoso. Abre el botiquín y saca el pomo de éter, pasa a la cocina por un cuchillo, sale al patio de atrás. Juega con el Canelo. Le avienta una pelotita y el perro retozón va tras ella y se la trae. Una, dos, tres veces. Destapa el pomo, empapa su pañuelo con éter y lo adhiere al hocico del perro. Al animal ya dormido le encaja el cuchillo en un ojo. No se detiene a ver la sangre ni la substancia lechosa. Vuelve al baño y con largueza se mira en el espejo.

El Canelo despierta de la anestesia y gime. Oralba va hacia él con la actitud de quien padece sorpresa y espanto. Aullido y gritos se mezclan en el aire.

— ¿Por qué lo hiciste?

—Yo no fui, mamá.

— Mira Paulito, tú estás muy enfermo, pero tu papá vendrá algún día para llevarte al doctor.

La crisis sube de tono. El llanto aniquila las trastornadas palabras. Oralba, como siempre, acusativa:

— Estás loco.

Paulito le muestra las manos temblorosas, pintadas de rojo.

Regresión

Oye, Abel... deja de jugar entre los niños y escúchame. He de contarte una historia, es preciso que recuerdes, que vuelvas hacia ti mismo. Oye, Abel... fue en el año de 1953 cuando el pintor Abel Miranda dejó su tierra de origen para venir a instalarse en esta capital. Decidió abandonar a la familia siempre cariñosa pero castrante. Quedaron en el pasado el taller improvisado en el viejo granero; el olor del patio donde crecían la albahaca y el alholva; el portón golpeado a las cinco de la mañana por las beatas envueltas en su negro fanatismo, despertando devotos para conducirlos en rebaño a la misa primera; las sombras de los niños que jugaban a las rondas y se perseguían con gritos y a ojos vendados; los perros sedientos que morían en la plaza a la hora cenital; la taberna de cantores y llorones sumergidos en las visiones del alcoholismo; el aroma del atole hervido con anís todas las tardes; los tejados enrojecidos y humeantes; las calles blancas, secas de cal que agrietan los pies de los descalzos; el pueblo insolado y triste.

Oye Abel... el pintor lo dejó todo y vino a buscar en esta metrópoli la manera de sacudirse aquel polvo de vida mínima, presa de hastío. De principio, Abel laboró como obrero en una fábrica de telas. Colorear los lienzos fue dar color a su propia vida. Un día, al salir de su trabajo y caminar a lo largo del río que recibía el desagüe de los tintoreros, se percató de un nuevo sentir cromático: vetas de distintos colores entraban al cauce y se alargaban sin mezclarse: despaciosas corrientes magentas, amarillas, azules, finalmente a lo lejos se mezclaban formando un denso fluido de agua sucia, amoratada. Entonces Abel, hablo de ti, supiste que tu pintura tendría un cambio; sin embargo en tu primera exposición en la Casa de la Cultura, tus cuadros aún reflejaban el alma grisácea de tu pueblo: Mujer 1, Mujer 7, Mujer 13, todas delineadas bajo la misma expresión dolorosa y pálida, diferenciadas apenas por los fondos difusos, paisajes de tu niñez vagamente recordados. La mecedora de caoba con su anciana sentada ahí para siempre, resignada en el caer de la tarde, con un gato acurrucado en las faldas, imagen total de la decadencia y del tedio. Los niños en los árboles, desnudos, flacos, trepados en las ramas sin hojas, frutos de carne escuálida ardiendo al mediodía. El viejo moribundo tirado en una cama. El caballo sediento, trotando en una polvorienta calle.

Te hablo de ti, de tu vida. ¿Te recuerdas? ¿Recuerdas aquellos cuadros? Los de tu primera exposición. Eran desoladores y en ellos predominaban el verde gris y el blanco.

Un año más tarde, en el mismo sitio, tu segunda exposición demostró el cambio: manos rojas rompiendo cadenas; un dios bermejo resucitando en el aparador de un bazar; la ciudad punzante, rascacielos, catedrales amarillas clavándose en el morado de un celaje iracundo; perros y niños de colores en el aire dinamitado; siete caballos colgados en la encrucijada y en llanto sus jinetes de bruces. ¿Recuerdas tu segunda exposición? Las imágenes llenas de ímpetu, pinceladas violentas, colorido explosivo. Abel Miranda se proyectaba al mundo con expresión potente, vertiginosa.

Tienes que recordarlo, todo aquel proceso de creación constante, tu atenta juventud volcada a la conquista de valores estéticos, la búsqueda infatigable, el hallazgo de los colores puros o mezclados, las formas sumergidas o flotantes, el movimiento y su fuerza en todo trazo. Siempre preocupado por la luz, por el claroscuro. Sombras prolongadas hasta la exageración, como si hubieras encontrado que la sombra es el único gesto verdadero del hombre.

Oye, Abel... con cuánto ahínco te entregaste al

arte. ¿Lo recuerdas? Vivías en aquella cochera que la cartomántica te rentaba en pocos pesos. Ahí instalaste tu primer taller con dos caballetes, un restirador, una mesa de trabajo; el tapanco cubierto con amplio y delgado colchón, cama común donde dormíamos tú y tus amigos. Ahí, adherida la pequeña escalera de madera en caracol. Y los botes de tierra de colores, cazuelas llenas de tubos de óleo, botellas con trementina y aguarrás, montones de estopa. Lienzos y marcos fibrilados, latas, piedras, cartones, lámparas concentradoras de luz, platos y tazas de palo de rosa, esculturas de alambre a medio terminar, la estufa, frascos con café y azúcar, el canasto para el pan, la gran olla de barro con agua fresca, el viejo tocadiscos comprado en el mercado de cosas usadas, los cinco discos rayados, libros, carteles... Todo aquel mundo, tu mundo ¿lo recuerdas?

Oye, Abel... trata de pasar los ojos de tu memoria sobre aquellos objetos. Revive todo aquel universo que fue tan tuyo. Aspira el fuerte olor producido por los disolventes y el copal que a veces prendías. Piensa en la gente que te rodeaba, amigos a los que tú quisiste entrañablemente bajo la afectiva responsabilidad de un protector.

Durante el día trabajabas como obrero para que en ese taller no faltara nunca el pan. A todos les dabas de comer y les proporcionabas material de trabajo: Barro, yeso, alambre y cobre para que Adriano hiciera sus esculturas. Adriano tenía entonces diecisiete años. ¿Lo recuerdas? Siempre vistió de mezclilla como tú y en muchos aspectos se parecía a ti, tenía tu misma apreciación de la vida, trabajaba con esmero, reía siempre porque lo llenaba de felicidad el solo hecho de estar vivo. Se apasionaba con los libros y te comentaba lo que decía Sartre, Simone de Beauvoir, Camus o la Woolf, como si se tratara de amigos con los que charlara a la hora del desayuno o mientras se bañaba o hacía la talacha. No podía estarse quieto cuando escuchaba la Novena Sinfonía de Beethoven, caminaba y movía los brazos en círculos, con gestos apasionados marcaba los crecientes musicales y se sentía el máximo director.

Nunca faltó el engrudo sintético, papel de china, pinturas, laca y bisutería para que Bernardo hiciera sus figuras de papier maché. Lo criticabas por su mal gusto en el colorido, por el exceso de gemas brillantes en aquellas madonas cursilísimas, coronadas siempre, sufridas y con lagrimitas pintadas. Hiciste lo imposible por salvarlo de la mariconería. Era insoportable, pero cuando el dinero no te alcanzaba para comprarle pedrería y lo veías decorando las coronas con caramelos chupados, te enternecía y lograba poner en movimiento todo tu fraternal afecto.

Maderas y cuero para los pirograbados de Ernesto. Manta e hilos para Juan, indio venido de Michoacán a quien mucho apreciaste. Tenía cuarenta y siete años y lo apodamos "El Viejo". Al entrar en contacto con tu grupo, dejó de ser obrero y se dedicó a bordar camisas con tradicionales diseños zoomorfos. Después, la influencia de Brueghel lo atrapó como a todos y desde entonces no faltaron los demonios y los animales híbridos recamados en las camisas negras que se pusieron de moda. Se valió de tu ayuda, hizo buen dinero, puso una boutique junto al café Snob y no se acordó más de ti.

Lo más importante de entonces fue la llegada de Acacia. Apareció en tu vida como de pronto se desploma un chubasco del cielo. Nadie tan dinámica y rebelde como ella. Inasible, cambiante, atormentada, con delirio de grandeza y nómada por excelencia.

Oye, Abel... te pronuncio el nombre de Acacia para reanimar tu alma entumecida. Seguramente ella está bajo todos los escombros de tu apatía, aplastada por el derrumbe de tu espíritu.

Fue Acacia quien si bien dirigió tu vida a la exaltación, también te llevó al caos. Con ella experimentaste el frenesí, optimismo, dolor, calentura y vértigo, angustia corrosiva, impulso hacia la libertad. Caminaste al ritmo de sus días en fuga. Sin darte cuenta, con su confusión y ansiedad, te hizo perder el piso y te arrastró en su vorágine. Tus amigos no logramos hacerte ver que por su volubilidad era inconveniente para ti. La seguías con fe ciega. Hechizado. La engrandecías. La creías inmensa y no era más que un diminuto ser acongojado en su desatinada pequeñez. Tal era la razón de sus amplios desplazamientos, de su gesticulación exagerada y actos impulsivos. Al carecer de rostro usaba máscaras, personalidad siempre modificable tras la experiencia del teatro. Por el dolor de saberse insípida se bañaba con luces de colores. Ya ves, en la calle traía la misma ropa que usaba en el escenario, y ya andaba con túnicas griegas o vestida de beata, soldadera, mendiga, bolchevique o histrión. Juglaresca, bufón de la miseria, con gestos aprendidos y tristezas decoradas. Saltando de máxima en máxima, de ideología en ideología, cruzando el río del intelecto valiéndose de las piedras para no mojarse. Nada era y se disfrazaba de todo: espectacular, transformista. No hubo región de su interior que fuera apacible. Espesa, convulsa, explosiva, devorada por sí misma y devoradora, sofocada y sofocante, mudándose siempre, trashumante.

Y por todo eso, la amaste. Te hizo sentir que podían salvarse de la caravana de la gente gris, romper filas y convertirse en seres únicos, irrepetibles, fuera de la mediocridad. ¿La recuerdas? Te condujo a ser líder de un movimiento subversivo, y cuando incluso peligraba tu pellejo, ella con el ideal roto, decidió que la vida estaba en el circo. Te dejó luchando en aquella subversión mientras ella, bufón, anduvo de pueblo en pueblo arrancando carcajadas. Nunca se enteró de la matanza y de los encarcelamientos. Después del genocidio sin que la hubiera tocado el desastre, volvió con nuevas ideas, fórmulas de vida. Luego vino la etapa de la magia, te arrastró hacia lecturas cabalísticas y otras prácticas esotéricas, para después no creer en nada, ni en Dios, y lanzarse ambos a la búsqueda de lo palpablemente sencillo: ganarse la vida como merolicos, convivir con la gente campesina o aislarse en la montaña, solitarios. ¿Por cuánto tiempo? Nuevamente la atrajo la metrópoli, el intelectualismo y todos sus ismos, y los dos volvieron aquí para entregarse al arte, con aquel espíritu de encontrar en él la casi divina experiencia de crear un nuevo mundo, de sublimar la realidad. Al poco tiempo el sentido de la vida artística se redujo a poca cosa, porque después surgió el interés por la ciencia, y el desinterés por la misma al fascinarse con la ciencia ficción. Fueron al encuentro de sucesos y relatos extraordinarios y los sedujo el contacto con lo insólito. Después tomaron el surrealismo como posición existencial, vagarosos en los sueños, sumergidos en lo onírico sin darle importancia a lo real. Terminaron atrapados por lo fantástico, lo incoherente, para caer en el total absurdo.

En todo esto la amaste y la seguiste aunque nunca te permitió tocarla; estuviste siempre a la orilla de su cuerpo y padeciste el dolor de verla amar a otros. Qué largo amor imposible, abstracto. Acacia siempre fue agua entre tus dedos.

Abel... ¿lloras, Abel? Entonces, ¿la recuerdas? Acacia llegó a ser algo amargo para ti, el carnaval de las emociones, la morgue de las ideas: Todo se extinguió, murió el amor y tus más altos sentimientos, y ya, por más visitas que hicieran al depósito de cadáveres, nada era rescatable, no les era posible reconocer a sus muertos.

Para olvidar a Acacia encontraste la salvadora posibilidad de casarte con cualquier mujer. Teresa era el conformismo, el arreglo físico y la mente vacía. Ninguna inquietud adentro. No pensaba. Te casaste con ella y volviste a la pintura. Mucho tiempo tardaste para reencontrar tu pasión creadora. Todo se lo había llevado Acacia, el dolor, la fiebre de querer ser, la vena y la sangre.

Recuperado en parte, realizaste una exposición donde abordaste todos los sinsentidos, y para tu gran asombro, te trajo el triunfo. Abel Miranda fue reconocido en México y se iniciaron nuevos caminos hacia la proyección internacional. Pero apenas lograda cierta posición, dañado por la úlcera del recuerdo y envuelto por nuevas sombras, comenzó prematuramente tu decadencia intelectual. La estupidez de Teresa fue un cáncer. Los hijos nacieron y fueron creciendo, niños que nunca pudiste amar. Si acaso les dabas cariño en pequeñas dosis, y por mayor verdad, para ti significaron un estorbo.

Perdiste tu casa y se mudaron a un departamento de una recámara, sitio de agobio. Los niños todo lo llenaban con desorden, gritos, juegos, mugre. Seis hombrecitos violentos e inconscientes, sin educación, logrados al garete, alimentados como animalitos. Teresa siempre sucia, histérica, con muecas de fatiga. Todo ahí, a su lado se fue reduciendo, tu espíritu, tus ideas, tu imaginación, tus ganas de vivir.

Tropezar con la cuna, con la andadera, con dos niños anudados en un pleito. Los más chicos llorando dentro del corral. Objetos rotos, libros despedazados, óleos pisoteados y embarrados en la alfombra orinada y pestilente. Los tendederos de pañales por todos lados, en el baño, en la recámara, en la sala. Para ti no había espacio y a pesar de eso tratabas de luchar. Pintabas cualquier cosa y salías a venderla a la calle o de oficina en oficina. El poco dinero ganado era para la leche de los niños, cualquier otro alimento, jabón, ahorros para la renta siempre retrasada. Los niños mayores no iban a la escuela porque no tenían zapatos, tan descalzos como carentes de ganas. Teresa quería ir al cine como si fuera un placer tratar de divertirse con los hijos a cuestas. Los vecinos se quejaban del ruido, y el dueño del edificio golpeaba la puerta amenazándolos con lanzarlos a la calle.

Oye, Abel... ¿recuerdas todo esto? Recuerda el día que aturdido por el llanto de tu hijo más pequeño, trataste de callarlo con una almohada. El niño murió asfixiado. Huiste de casa y te refugiaste en un terreno baldío. Viviste ahí, dentro de un depósito de concreto para agua, sumido en la estrechez y en la oscuridad, apestado por el remordimiento de tu involuntario crimen. Infanticida muriendo como rata, sin agua ni comida. A veces, quitabas la tapa y sacabas la cara al sol, e incluso te animaste a salir para ir a beber agua al charco. Cinco días estuviste así. Al pensar en los otros hijos, lograste reaccionar y volviste a tu casa. Teresa nada te dijo, ni siquiera hablaron del entierro de Jorgito, ni de lo que más importaba saber, si hubo o no líos con la policía, averiguaciones. Al parecer la eliminación de un infante que a nadie le importaba no trastocó la normalidad.

Conseguiste madera y dentro de la recámara construiste un cuarto de dos metros cuadrados, lo tapizaste con corcho aislante. En él te encerrabas, escapando de los rostros y del ruido, enajenado de todo, misógino ya, atendiendo tus fobias mientras afuera tus hijos se morían de hambre. Teresa te sacaba a la fuerza, te obligaba a pintar un cuadro y salías a venderlo para después volver al aislamiento. Un día encontraste el cuartito deshecho, celda íntima anulada por quien no entendió tu criptomanía.

Teresa se dedicó a lavar ropa ajena y así resolvió el alimento de los niños. Te libró de esa responsabilidad, pero no así de sus apetitos carnales. Tú no la deseabas y ella manipuló tu cuerpo para su satisfacción. En aquella sexualidad conociste el asco y para liberarte se incrementó tu autismo.

Nació tu primera hija, única niña. No querías conocerla, pero cuando obligadamente la tomaste en tus brazos, sentiste amarla, sobrevino una íntima y profunda reconciliación con lo femenino y con la vida misma. La llamaste Acacia. Desapareció tu odio por los otros hijos, te acercaste a ellos, comenzaste a jugar y...

Oye, Abel... desde entonces no has dejado de jugar, empujas los cochecitos, hablas solo. Con soldados de plomo formas líneas, grupos y los derrumbas con una pelota de hule. Tus hijos se divierten contigo, pero... estás enfermo, toda esa actitud es el desencadenamiento de una grave sicopatía, sufres de regresión.

Oye, Abel... deja esos juguetes y atiende a lo que te digo. Mira que es importante. Teresa ha llamado al psiquiátrico y están al llegar por ti. ¿Te das cuentas de lo que significa? Te internarán en un manicomio.

Oye, Abel... Tienes que escapar. ¿Quieres venir conmigo? ¿Por qué no? Deja ya ese cochecito. Te voy a llevar al parque, compraremos globos y algodones de dulce, subiremos al carrusel y daremos tantas vueltas como quieras...

Oye, Abel...

Incineraciones

Nunca quise ir a conocerlo. Tiene tres años y acaba de morir su madre. Se llama Alejo como yo. Es flaco, pálido y tímido. Lo han traído a vivir conmigo. Le dicen que soy su padre y él me toma de la mano sin decir palabra, sin sentir nada.

Entramos a la vieja casona. Él parece alegrarse al ver tan enorme espacio, intenta correr. Lo retengo tirando de su brazo. Ni lo pienses, le digo, aquí vivimos mucha gente pero cada quien vive en su agujero. No se puede andar correteando por ahí.

Subimos a mi vivienda, un tejaván improvisado en una azotea. Contemplo mi desorden: la colchoneta en el rincón, el montón de ropa sucia, los periódicos y las colillas que nunca esperan la escoba, el espejo manchado, la palangana con agua turbia, el pan duro por mi falta de apetito y las medicinas que ya no tomo para dejarme ir en la enfermedad. Ahí, junto a una escultura que me retrata en plastilina, están mis papeles escritos: poesía. Camino descalzo y por primera vez siento lo podrido del suelo de madera. Respiro hondo y a los pulmones me entra un hedor de cloaca.

Este es mi espacio, el espacio de un triunfador. Se lo digo con cinismo. Ahora lo compartiré contigo. ¿Qué te parece?

Él mira a su alrededor, despacio, sin rechazo a la pobreza, solo preocupado por saber nombrar las cosas: Tus zapatos, tu foto, ¿tu cama? tu cocina, tu agüita sucia... tus medicinas. ¿Estás enfermito? Su voz de jilguero me intimida, me molesta.

—Ya no tomo medicinas. Me estoy dejando morir.

Se lo digo para que sepa de una vez que no cayó en buenas manos. Él me justifica:

—No tomas la medicina porque sabe feo. Este eres tú —me dice al tiempo que toca un busto modelado en plastilina.

—Me lo hizo un amigo escultor. Se murió antes de vaciarlo en bronce. No lo toques, lo puedes desfigurar.

—Figúrate, este eres tú — me trina desde su inocencia. Va hacia la pared y con un dedo toca la sombra que proyecta la escultura. Luego se sienta en mi sillón giratorio.

—Es lo mejor que tenemos. Puedes ver la azotea, el árbol, la pared, el montón de cosas y hasta las estrellas por ese boquete, ¡lo que tú quieras! Es todo lo que te puedo ofrecer. Ahora duérmete, ahí en la colchoneta.

—Pero aún es de día, trina bajito.

—No importa. Para empezar a convivir, lo mejor es que estés dormido. ¿Tienes miedo? Vamos a poner esta fotografía de tu mamá junto a ti. Ella velará tu sueño. Ahora su sombra te cuida.

Es una buena foto de Alicia. Está de pie, al centro de un foro, cantando. En el ciclorama se proyecta su sombra. Alejo la señala y se tapa los ojos para no verla.

La sombra de mamá me pega.

Se desviste, ordena su pantalón, camisa y zapatos y se acuesta. No tarda en dormirse. Duerme con toda la tranquilidad de quien no se cuestiona sobre la muerte. Me desnudo y me salgo a la azotea a tomar los últimos rayos de sol, quizá la última luz de mi vida.

El frío de la madrugada me despierta. Entro al tejaván y, aquello que me hubiera gustado fuera solo una pesadilla, está ahí, angelicalmente dormido: mi hijo. Su ropa colocada con tan esmerado orden hace que se avive el caos en que vivo, el caos en que estoy muriendo.

A través del roto tragaluz miro a las estrellas. Tristes son mis reflexiones, agravadas por el insomnio. Tengo ganas de morir, y este deseo se hace inmenso. Me parece absurdo que a un hombre enfermo como yo, en estado terminal, le hayan enjaretado a este huérfano de madre; pronto, también, lo será de padre. Me acerco a mirarlo. Le temo. Lejos de él me echo en el suelo y bajo una cobija prefiero indagarme a través del sueño.

Despierto. Él ya está vestido. Empinado en la barda mira hacia la terraza contigua donde una chelista practica una suite de Bach.

— ¿Qué tienes?— me jilguerea.

—Sida, le contesto lacónico.

— ¿Qué tiene de comer? —aclara.

—Nada. Voy a comprar algo para que desayunes. ¿Quieres lavarte la cara?

Él asiente con tímida repugnancia. Pienso en la nata espumosa del jabón y mugre ahí reposada en la palangana y tengo el impulso de ir por agua limpia. Recapacito: un hijo al que no conocía, y que nunca me he ha interesado, ahora viene a cambiar las cosas. No estoy dispuesto a ello. Para que note mi indiferencia le digo que si quiere lavarse la cara lo haga con el agua de la palangana. Se lava el rostro. Comienzo a sentir su personalidad. La chelista toca a Bach. Él se empina en la barda y la escucha.

— ¿Te gusta la música?

—Sí.

—Escúchala bien. Podrás llegar a ser un chelista.

— Volveré pronto con el desayuno.

Me salgo, me voy a tomar unas copas. En la cantina, mientras pienso en nada, dejo correr el tiempo hasta el atardecer. Cuando vuelvo, ese pequeño hijo mío, y por demás gran desconocido, juega con fuego. Tiene prendida ahí en la azotea una fogata hecha con basura.

— ¿Qué haces? —cuestiono con verdadero asombro.

—Quemo sombras —me dice ensombrecido—. Ya quemé la sombra de mamá y también la tuya, papá.

Veo cómo en el fuego se derrite la escultura en plastilina: mi rostro en llamas. Me derrito, me deshago.

Le entrego una bolsa con pan y frutas. Entro y me tiro en la colchoneta a observar el deterioro de mi espacio. La sonata que practica la chelista la escucho cada vez más lejos y más dolorosa. Siento una necesidad metafísica de escribir, pero son vanos mis esfuerzos. Poeta vacío. Solo puedo escribir una palabra: muerte. Corto el papel y me como la palabra. La sola palabra escrita basta para acabar con un poeta, y ahora estoy aquí, agonizando.

Sé que a mi hijo lo llevarán con mi hermano y le dirán: es tu tío. Él lo tomará de la mano, sin decir palabra y sin sentir nada. Se desvestirá, colocará en orden su pantalón, camisa y zapatos. Se acostará a dormir. Dormirá tranquilo. Despertará. Seguirá quemando sombras.

El protector

Mi nombre, Daniel, es débil en su fonética; en cambio, el de mi hermano Rómulo es fuerte y en su sonoridad lo histórico hace presente esa mezcla de sangre humana y leche de loba, brote de lo que fue el imperio romano: ímpetu y poder.

Él es flaco, alto, de músculos vigorosos; yo soy pequeño, de carnes suaves. Él tiene la nariz huesuda y pronunciada y su rostro alargado expresa su conducta vertical ante la vida; en la redondez de mi cara alunada solo destaca la sonrisa que siempre esgrimo para ocultar las ganas de llorar que traigo al borde.

Día con día Rómulo ha sido mi sostén, mi protector. Él es el resorte con que salto al mundo, los zancos donde me trepo para elevarme sobre mi propio miedo. Para él significo un compromiso continuo que le exige el rendimiento de su fuerza a mi favor, y sin reservas, se siente obligado a ampararme sin fatiga. Para él su fraternidad es una religión.

"Recuerda —me dice—, recuerda bien todo lo que he hecho por ti. Cuando papá te pegaba, en mis brazos te he dado el consuelo necesario para sobrevivir a la angustia de crecer apaleado. En las navidades te he regalado cajas de pañuelos blancos, tomando en cuenta todas las lágrimas que traes adentro y tus cíclicas maneras de desbordarlas. Cuando mamá se suicidó te arranqué de la tierra, despegué tu dolor desesperado por lo ido y te puse a mirar el cielo para que sintieras que sobre lo muerto y lo enterrado, esplende el cosmos infinito. Lo mismo hice cuando se murió tu gata".

Así, Rómulo desata los recuerdos de mi infancia en este momento en que se agita el terror. Andaba yo tristeando como de costumbre y Rómulo, para desbaratarme las tristezas, tomó por asalto el velero del tío Gustavo y nos escapamos al mar para llenarnos de los hechizos del agua y del brillo de los cuerpos siderales. Íbamos abismados en deleites al borde de la costa, cuando vientos encontrados nos jalaron en círculos y después fuimos tragando kilómetros mar adentro.

Enteramente rodeados de aguas pánicas, Rómulo me habla con voz muy suave, confortándome. Quiere hacerme creer que el murmullo humano es capaz de atraer a algún barco para nuestra salvación. Susurra sin cesar: "Recuerda que solía atar a mi pie un cordón del que tirabas como señal de auxilio todas esas noches en las que, en la oscuridad de tu cuarto, se encendían las pavorosas calderas donde hervías entre demonios y muertos. En esas pesadillas yo, silenciosamente, sin despertar a mi padre, me arrastraba de mi cama a la tuya para librarte del miedo. Limpiaba tu sudor, te hacía caricias hasta dejarte dormido. Recuérdalo".

Y bajo el rigor de los fríos, sentimos pedernales que cortan nuestra piel y vientos helados se adentran en los pulmones; calcinados bajo soles furiosos nos volvemos brasas al ritmo de las alucinaciones. Lo veo despellejado con la sed endureciéndole la lengua. Y aún así, me dice con ternura: "Recuerda que en la escuela reprobé de año, descendí voluntariamente de grado para compartir contigo el mismo curso y así pude ayudarte a dejar de ser el más atrasado de la clase. Te enseñé, te hice comprender algunas lecciones y fui paciente ante tu ineptitud. Cambié mi letra a semejanza de la tuya y aprovechando el descuido del maestro, era yo quien resolvía tus exámenes para que tuvieras buenas calificaciones con el menor esfuerzo. Y cuando se te vinieron encima aquellos primeros dolores de amor, cubrí tu incapacidad de expresarte y te llevé de la mano para que lograras consolidar tu relación. Te enseñé las formas de cortejo, fui yo quien escribió tus cartas amorosas y con mis frases desperté el deseo de la mujer que tú amabas. Te hice aparecer ante sus ojos como un poeta. Acabé con tus temores sexuales. Te invité varias veces a verme hacer el amor con mis amantes para que aprendieras las maneras gozosas del tacto, la correcta trayectoria de los dedos recorriendo la piel, el uso de la humedad y de la lengua, el momento oportuno de la penetración, el ritmo, y la consecuencia del placer sin culpa ni complejos. Te hice hombre".

Veo con horror el desollamiento que le causa la daga solar, hombre en ascuas, y a pesar de ello su voz no se quebranta, todo me lo dice en tono tan grato contrarrestando la amenaza de la muerte, aminorando las asperezas nacidas del espanto y de todo lo insondable que se nos aproxima. Dulcísimo me dice: "¿Recuerdas todo lo que he hecho por ti? Ten presente en tu memoria los actos de mi bondad. Cuantifica lo que me debes. La vida cuesta, hermano menor, hermanito, la vida es cara y nadie se muere sin pagar sus deudas. He llegado al límite de la sed. Toma esta navaja y ábrete las venas. Beberé tu sangre".

Más sorprendido que cobarde, le suplico que se tranquilice. Extiendo el pañuelo sobre mi cara para protegerme de él como si un pedazo de lino blanco pudiera resguardarme. Intento esconderme bajo un tablón y aun a ojos cerrados miro cómo mi hermano, el que era dulce, hoy acidificado se arroja contra mí. Jala mi acalambrado brazo, hiende la navaja, pega ahí su boca succionante, abreva mi resina roja de miedos. Mi sangre en sus labios es la imagen de mi debilidad e impericia. Siento en mi pulso la rapidez de su instinto de vida que lo ha transformado. Junto con el horror se despierta en mí la fobia a su pericia. Nada veo en él más que al traidor, al hombre cáustico que me engañó durante años con su melosa apariencia de hermano protector. Quiero arrojarme de un salto al mar, pero soy un desvalido caricato que ni siquiera puede salir de su inservible escondrijo. Rómulo amarra el pañuelo a mi brazo a manera de torniquete, evita que me desangre, cuida su sustento.

Golpes de sal, de sol, de agua. Escucho su voz muy lejana. Un viento intermedio, zumbante, se opone entre los dos. "Hermanito, cálmate, débil niño mío, estoy aquí para fortalecerte". Y apenas salgo del azoro, me sobresalto cuando hace un tajo en mi carne. Inmensa se abre su boca en la codicia: el hambre es toda dientes. Tras masticar un trozo de mi ser, con su rápida navaja ejecuta otra seria ablación en mi muslo. Es lo último que veo. El mar, ya tranquilo, en calma, apenas mece mi desmayo.

Abro los ojos. Sobre una sábana mi cuerpo desnudo está untado de una sustancia que aminora el ardor de las quemaduras solares. Me duelen las piernas, las partes laceradas están cubiertas con vendajes. Con la vista recorro las paredes blancas, son las de una estrecha enfermería. En la cama de junto, Rómulo con la cara embadurnada de ungüento amarillo, sonríe con afabilidad y murmura: "Todos están conmovidos por tu gesto de querer salvarme a costa de tu propia vida; sin embargo, eso que la gente llama "milagro" nos mantiene vivos a los dos, vivos y juntos. En medio del océano nos auxilió un barco francés. Siempre quisiste ir a Francia y ahora vamos rumbo a El Havre; se te cumple ese capricho. Antes de regresar a casa y recomenzar nuestras vidas como han sido siempre, pasearemos por el puerto. Nada temas, siempre estarás bajo mi protección, cher petit frère".

La venganza de Flaubert

Cuando mi padre estaba en el desván, solía mandarme a la cocina para que viera si él se encontraba allá. Yo iba a buscarlo y regresaba para decirle que no, que en la cocina no había nadie. Insistía, me preguntaba si lo había buscado bien, y yo, motivado por la duda, volvía al lugar para cerciorarme. Las idas y venidas podían repetirse tantas veces como mayor fuera mi angustia ante su desprecio por mi incapacidad para encontrarlo. Yo ponía todo de mi parte, miraba con atención, lo buscaba detrás de las puertas, debajo de la mesa y hasta en el cuartito de la alacena, pero era inútil, siempre volvía con la misma respuesta: no papá, no estás en la cocina.

"¿No estoy allá? ¿Estás seguro? ¡Mira que eres un estúpido!" Y diciendo esto, soltaba una carcajada. Sin percatarme de lo imposible de la ubicuidad y de su burla, yo me esmeraba en la búsqueda, dispuesto a encontrarlo a como diera lugar. Él se divertía con mi empeño y desasosiego.

Hoy en la mañana, cuando desayunábamos en la terraza, mi padre me mandó a ver si él se encontraba en su recámara. Regresé corriendo y asustado le dije: sí, estás allá y lo que estás haciendo es lamentable y vergonzoso. No debiste mandarme a mirar eso. Jamás te perdonaré tan abominable acto.

Mi padre, turbado, enrojeció y rápidamente se fue a la recámara a ver qué era lo que él estaba haciendo allá y que a mí me había disgustado tanto.

A la sombra del relámpago

Juan Alcántara ha sufrido de miedos a causa de la ira de Dios. Aguaperpetua de San Isidro es un pueblo azotado por las lluvias. Ahí las casas, los hombres y los sueños suelen sobrevivir titiritando de frío y gritiritando de miedo. Los diablos son de agua así como sus daños y sus trampas. Dios, tempestario, se hincha de enojo, sus venas se revientan y relampagueantes llenan los cielos de sustos blanquecinos y azules. El relámpago, el trueno y la lluvia son constantes y movibles. Ya sorprenden en un sitio, ya en otros. Hay sin embargo, una piedra donde diariamente y repetidas veces al día, los rayos se descargan en ella para lacerarla de luz, lumbre y enojos. Dicen que está maldita porque hace años, hermano y hermana hicieron ahí el amor, y estando ensartado él en ella, un rayo de Dios los separó y los volvió cenizas. Esta piedra se encuentra allá, colina abajo, en el llano donde están las ruinas del pueblo viejo, acabado por las inundaciones. Solo quedan algunos muros de la iglesia, sus patios de agua estancada, las cruces emergentes y los rezos alabeados que sondean el misterio de los antiguos ahogados.

Fue hace ochenta años cuando cayó aquel chaparrón que duró treinta días con sus noches. Después de aquella anegación que se tragó tantas vidas y sumergió tantos sueños, la población residuo del siniestro, se mudó a lo alto de la colina. Acá, en el pueblo nuevo, los habitantes al menos se escapan de las inundaciones, pues los chubascos resbalan y forman sus charcas y ciénagas allá abajo y a lo lejos. Aquí arriba no se le teme tanto al agua, pero sí al fuego zigzagueante que arrasa con árboles y frágiles techos de palma. No obstante, en Aguaperpetua de San Isidro Nuevo hay quienes saben vivir en paz bajo la cólera de los cielos, pero la mayoría de la gente tiene los músculos tensos y los ojos saltones por el miedo. Juan Alcántara siempre tuvo miedo. De niño, cada vez que oía un trueno, quebrantado y convulso perdía el habla. Su abuela, para curarlo de los sustos lo jalaba de las orejas hasta despegarlo del suelo y le daba agüita caliente con tortilla quemada. Así, durante breves ratos podía estar en calma, pero los truenos tan constantes se esmeraban en tensarle de nuevo la lengua.

Cuando creció, Juan Alcántara abandonó el pueblo

y se fue a refugiar en tierra asolada de sequías. Allá, además del polvo y de silencios calientes, se hizo de una mujer y de hijos. Tres de ellos murieron de deshidratación, y el único que le quedó vivo, Gilberto, en cuanto dio sus primeros pasos comenzó a tener actitudes muy extrañas. Nunca jugaba con los demás niños y siempre atraído por sabe Dios cuál imán, se perdía en el desierto obsesionado en perseguir las bolas de abrojos arrastrados por el aire.

Ya cumplidos los nueve años, en su cotidiano regreso de las dunas, decía que las bolas le hablaban, le describían otro mundo al cual él pertenecía y al que debía volver a base de rodar por el desierto. Gilberto se hacía un ovillo y rodaba, al principio con mucha dificultad, pero logró una rapidez sorprendente como si no tuviera peso y era difícil distinguirlo de las bolas de abrojos.

Gilberto se convirtió en el hazmerreír del pueblo. Todos se congregaban para verlo rodar y lanzaban gritos de estímulo para que rodara con mayor cerelidad, y el hecho de que anduviera todo polvoriento, andrajoso y lleno de espinas como un erizo, les divertía aún más. Berta, la mujer de Juan Alcántara se horrorizó de su propio fruto, de ese hijo malnacido, tocado por algún demonio. Desde luego culpaba a Juan y éste se defendía diciendo que ese niño loco de sed y de polvo era por vía de ella puesto que era mujer del desierto; él provenía de un pueblo de lluvias abundantes donde sus paisanos han aprendido a vivir en paz bajo la cólera de los cielos. Los padres se pasaban el tiempo echándose la culpa uno a otro mientras el hijo, ese miserable rodante, crecía junto con su locura. Un día, Gilberto se fue a buscar otras lejanías en el desierto y jamás volvió y no hubo nadie con la intención de ir a rescatarlo. Todos estuvieron dispuestos a recodarlo como una leyenda. Berta se negó a tener más relaciones con su esposo por miedo a su mal influencia genética y decidió rechazarlo y entregar sus amores a otro hombre. Por eso, Juan Alcántara regresó a Aguaperpetua de San Isidro.

Entró al pueblo de noche. Bajo la lluvia y los truenos, avanzó por las callejas, despacio, como tranquilo. "Ya vuelve el que se fue —murmuraban quienes sorprendidos lo veían de vuelta con serenidad en los pasos—; ya vuelve hecho un hombre, ha domado el miedo". Juan Alcántara se adentró en los barrios alumbrado de vez en vez por los relámpagos. Llegó a su casa y en silencio se sentó frente a su abuela, y como no quiso hablar, la anciana pensó que enmudecía de miedo y nuevamente lo jaló de las orejas separándolo del piso y le dio agüita caliente con tortilla quemada. Él, sonriente, le dijo que saldría a pasear para volver a ver las casas, las calles y los recuerdos. Se fue por la vereda hacia el pueblo viejo y plácidamente se sentó en la piedra maldita a esperar el rayo que le quitó la vida.

Cuando lo encontraron ahí muerto, todos murmuraron que aquel que se va de su pueblo pierde la memoria, olvida los afectos y peligros. "Qué torpe es el que por abandonar su tierra natal —musitaron— se olvida de cuáles son los lugares malditos". Solo su abuela comprendió que Juan Alcántara regresó infeliz buscando la muerte. Y para fortuna suya, su buena memoria lo ayudó a llegar al lugar indicado, donde a la sombra del relámpago se duerme en paz y para siempre.

No hay que dejar ascender a la muerte

El río se hace más ancho como si quisiera volverse redondo. La tormenta se desploma sobre él, hembra que acosa y domina al macho. Arrambla ahogados. Hombres, árboles, toros y piedras se hacen a la voluntad de la corriente. Ahí en medio, Mateo aprieta los muslos y enreda sus manos a las crines, se aferra a su caballo. A tramos la bestia se deja ir y a trechos embiste las aguas. Son dos potros de distintos elementos que se atacan, dos furias y un hombre montado en la desesperanza. Una maniobra perfecta del animal y... luego el lodo, la orilla, a salvo del apetito de las aguas.

Vómito, tos y fiebre le indican a Mateo que está vivo. El caballo relincha, se desploma, arroja agua y sangre por el ollar y el mundo se le acaba en los ojos opacos.

A pie, en el esfuerzo de superar los estragos, Mateo llega a su rancho. Las mujeres de su casa, todas, acuden a su auxilio con el alabado sea Dios en la boca. Que trae la fiebre a cuestas, que le va a dar una pulmonía, que esa tosecita es la mismita voz de la muerte, que hay que hacer algo, que hay que hacer todo. Cada una propone, según su juicio, el remedio conveniente. Jesusa le quita las ropas mojadas y lo cubre con siete cobijas. Ruperta hace que sumerja los pies en una palangana con agua caliente. Anastasia lo obliga a respirar el vapor que despide un cocimiento de eucalipto y menta. Gertrudis le da a tomar alcohol de caña y pócimas de canela y bugambilia. Victoriana le pone unos chiquiadores en las sienes. Agustina le da una cucharada de aceite de víbora y Gervasia reza al fondo: Padre nuestro que estás en los cielos líbralo de la pulmonía, líbralo de la fiebre, líbralo de todo mal Padre nuestro...

Fiebre y tos no disminuyen, al igual que la tormenta que les impide ir al pueblo en busca del doctor. Aquí está otra cobija. Líbralo de los malos fríos. Hay que echarle agua caliente a la palangana. Bendícelo Señor y no separes de él a su Ángel de la Guarda. El eucalipto y la menta no bastan, hay que echarle estramonio y acónito. Venga a él tu protección divina y todos los cuidados celestiales. Ya vomitó el alcohol y los tecitos pero ahorita hiervo más y le traigo otro buen chupe. Santito Niño de Atocha dile a Diosito que lo proteja y se lleve de aquí la fiebre. No grites, Mateo, que es por tu bien, el cebito debe estar bien caliente. Santa Virgen María aleja de aquí a la pulmonía y a la bronquitis y hazlo resollar en paz y salud. Es que ya se le cayeron los chiquiadores, se los voy a fijar con goma de saúco. Déjenme ponerle otro emplaste de antiflogestina. San Judas Tadeo, Santa Marta bendita, San Simón del Sacromonte, Cristo del Calvario, San Jorge bendito tú que amarras los animalitos amarra los virus de la gripe la tos la pulmonía la bronquitis y los males aires fríos del pulmón. Con una cucharada de aceite de víbora no basta, le voy a dar toda la botellita. Virgen Santa María de la Concepción, Virgen Dolorosa cúbrelo con tu manto. Ahí va otra frazada. Y de la voz de la Jesusa salió ese ¡ya tiene fríos los pies! ¡Santos todos! Vocifera al fondo la vieja Gervasia.

La muerte entra por los pies y luego va subiendo. ¡No hay que dejarla subir! ¡Amárrenle los tobillos! ¡Bien atados! ¡Más fuerte! ¡Santísimo Dios aleja a la Santísima Muerte! ¡Ya tiene frías las pantorrillas! ¡Átenlo más arriba! ¡Que no se trepe, que no se trepe! ¡Detengan esa muerte! ¡Es que ya tiene fríos los muslos! ¡Amárrenselos! ¡Va subiendo, va subiendo! ¡Échenle agua caliente! ¡No lo dejen enfriar! ¡Que no se le suba la muerte! ¡Apriétenle los testículos aunque grite! ¡Su vientre está helado! ¡Cíñeselo! ¡Traigan más reatas! ¡Rápido! ¡Ya verás si no te detengo el paso Pelona Flaca! ¡Se está poniendo morado! ¡Apriétenle el pecho! ¡No, el cogote no, que lo matan! ¿El cogote no? ¡No! Pues mire usted, tía Gervasia que por no apretarle el occipucio ya se le subió la muerte y lo cubrió todito. ¡Arca de Noé, Sandalia de la Virgen, ¿por qué esta desgracia? ¡En su seno lo tome el Señor! ¡Que los Ángeles lleven su alma al paraíso y su espíritu se llene de gozo! ¡Maldita Pelona, nos ganó la batalla! ¡Que sea su guía la Santísima Muerte! ¡Miren nomás, está todo negro, como don Chon que murió de gangrena! ¡Que el cielo nos dé fortaleza para aceptar esta santa voluntad de nuestro Señor, el Creador! ¡Santa María! ¡Ruega por él! ¡Santa Madre de Dios! ¡Ruega por él! ¡Madre misericordiosa....!

Sapo rojo

Hace siete años me quedé descorazonado. Fue después de gozar en grande la boda de mis sobrina Clarisa. Bebí como de costumbre para alcanzar la euforia que me convierte en rey de cualquier fiesta. Bailé con todas las damas y toqué mi saxofón para opacar al cuarteto de viejos cantantes que ya entristecían el ambiente. De pie sobre la mesa le auguré a Clarisa, uno a uno, los próximos sinsabores de su corto matrimonio y también le vaticiné una viudez feliz, plena en satisfacciones. Tras haber mostrado mis dones de buen tío clarividente me fui a dormir con la disposición de un ángel envinado.

Me despertó la sensación de ahogo. Un hipo persistente torturó mi abdomen, me fajé para soportar el dolor provocado por los espasmos y por último me vino aquel vómito. No era el agua agria y amarilla de las otras veces sino sangre. De mi boca brotaron gruesos coágulos malolientes. Quise gritar "estoy vomitando todas mis vísceras" pero la materia emergida me impidió sacar la voz.

Marcela acudió a auxiliarme, ahora con un asco mayor y más harta que nunca de tener que lidiar como esposa con los estragos producidos por el alcohol. "Esta vez sí te mueres —me dijo—, y a ver si con la muerte aprendes". Algo duro me subió por la garganta y tuve que abrir la boca tanto como si por ella fuera a parir un niño. Lo que salió no era tan grande aunque me dolió como si lo fuera. Entre mis dientes sentí cómo resbaló mi corazón. Latente cayó al suelo, justo en medio del charco de sangre, se infló y se transformó en un sapo rojo. Pude haberlo atrapado de no ser por el horror que me causó mirarlo fuera de mí. De salto en salto se alejó metiéndose en un lluvioso paisaje de charcas y espadañas.

Se me salió el corazón, —intentaba gritar sin respiro. Estaba en el hospital, atrapado con sondas y transfusiones. Marcela me miraba con reproche pero me apretó una mano: "Cálmate, tu corazón está en su sitio. Has vomitado sangre, solo fue eso, pero el susto ahora sí es de cuidado".

Todos trataron de explicarme que había padecido un delírium trémens y que si no dejaba de beber, las alucinaciones serían cada vez más frecuentes y espeluznantes. Fue inútil tratar de convencerlos de que en verdad el corazón se me había salido por la boca convertido en sapo rojo. Siento en el pecho el hueco de su ausencia y lo escucho croar a lo lejos. Por su peculiar reverberación puedo distinguir su canto tan distinto al de los demás sapos.

Dejé de beber sin el más mínimo esfuerzo, porque sí, dado que sin corazón no siento emoción alguna, nada me causa felicidad ni sufrimiento. En este limbo todo me parece anodino. Las ideas sobre Dios y el Demonio son algo bofo, sin esperanzas ni puniciones. No tengo gustos, ni miedo, ni hambre. Hace tiempo que no hago ningún esfuerzo para que la gente entienda lo angustioso que fue vomitar mi propio corazón. Ni siquiera se asombran y piensan que se trata de una mala fantasía.

Lo único que me mantiene vivo es la obsesión de buscarlo. Durante el invierno permanezco quieto, mirando al vacío y dejándome alimentar; en los días invernales nada tengo que hacer porque los sapos están enterrados. Me activo cuando el saperío pone en los esteros millones de huevos. En las épocas de lluvia, animado por el horrísono concierto de su croar, ando en las charcas buscándolo. La obsesión no está dentro de mí sino allá, donde se encuentra ese corazón-sapo-enrojecido, y solo me sensibilizo al ritmo en que él infla y desinfla su bolsa bucal. Cuando él traga una lagartija yo me siento alimentado; me invade la quietud cuando las ventosas de sus dedos se adhieren a una planta y me sobresalto cuando brinca de la tierra al agua.

No entiendo por qué todos piensan que es una locura querer recuperarlo. En los momentos de serenidad deseo volver a sentir aquellos latidos míos, casi inadvertidos, de aburrición cardíaca; incluso me gustaría volver a estremecerme con la taquicardia causada por mis iras y violencias.

Andar descorazonado es estar muerto en vida.

¡Ah, si lo encuentro, me lo tragaré! Engullirlo será tan doloroso como fue vomitarlo, pero así, tal vez recobre mi condición humana.

Rutilo, a pesar de ser el más pequeño de mis hijos, es el único que me comprende. Él me acompaña en la búsqueda con fe y dedicación. En las noches de plenilunio o a la luz de los relámpagos, lo veo con sus pantaloncillos arremangados metiéndose sin miedo en los recovecos del estero. Hunde sus piernas flacas y blancas en el fango sin importarle las cortadas que le hacen las filosas espadañas. No se amedrenta bajo las lloviznas o los aguaceros, soporta el frío y tiembla menos que yo. Sus ojillos son muchos más audaces y es rápido y silencioso para atrapar la presa. Cada vez que coge un sapo lo lava bien para quitarle el lodo, y al ver que conserva el mismo color siena, se le enjuta la cara y me dice: "Tiene que ser rojo ¿verdad papá?

Rojo, sí, rojo es el sapo que venimos buscando desde hace siete años.

El hallazgo

Ha pasado mucho tiempo desde que a Gabriel Garzal le destrozaron la vida. Un compañero astuto le plagió sus ideas y saludó al éxito con sombrero ajeno. Esa traición en el trabajo que lo llevó a la ruina merecía una venganza, y por años, Gabriel Garzal se la pasó briago, elucubrando mil maneras de cobrarse los daños. Lo obsesionó tanto el ansia de vengarse, que no se dio cuenta cómo se fue a pique. De pronto lo había perdido el prestigio, el trabajo, la mujer, los hijos, los amigos. Se fue quedando en la calle, acomodándose en la intemperie, calentándose con alcohol y gustando de ese aturdimiento que no permite distinguir entre la luz del alba y la del atardecer. Borracho de día y noche, sobrevivió sin más alegoría que la de la mugre y los harapos. Perdió la fibra y el empuje y llegó a tal quebranto que hasta abandonó la idea de resarcir al plagiario y se le fue deshaciendo el rencor como una mantequilla. Sí, perdió la fuerza para el desquite y se hizo a la tarea de pisar las huellas de la miseria.

Para disimularse, como hacen todos los menesterosos, se apegó a los oscuros suburbios. Ser mugre entre la mugre, abajito junto a las cloacas, en lo oscuro, hombre desmedrado recargado en el muro en deterioro, cáscara en la basura. Pero el alma no se le ha escapado del todo y a veces lo lleva al goce. Gabriel Garzal en ocasiones se atreve a invadir las azoteas. Llega a los tendederos para oler la ropa limpia y recordarse que alguna vez fue un hombre erguido en el trabajo y galante en el amor. Y entre las sábanas recién lavadas reconoce que tiene nostalgia de sí, ay, es una nostalgia tan grande como la de la encarnada luciérnaga que recuerda que en pasados milenios fue sol.

También hace ya mucho tiempo que Gabriel Garzal dejó de mendigar. Aprendió a vivir del hallazgo. Se sustenta con todo lo que encuentra en las calles y en los parques. Siempre hay algo en el canto de las banquetas. Lo que para otros es basura, para él son objetos preciosos dignos de ser atesorados. Algunas cosas las guarda aumentando el bulto de sus pertenencias y otras las cambalachea o las vende. Allá en el mercado, junto al depósito de desperdicios, tiende su manta en el suelo con sus hallazgos y no falta que alguien se interese en comprarle una cadena, un seguro, una llave, una botellita, un botón o cualquier otra nadería. Hoy, en los residuos de comida, encontró la mitad de una torta, lamió un poco de dulce de tamarindo, tomó un chorrito de refresco y, placenteramente, se ha fumado tres colillas. Y ahí va, Gabriel Garzal, andante, errabundo, esmerado y alerta mirando el suelo, orgulloso de ser tan avezado en eso de encontrar cosas al azar. Recoge las fruslerías y como si estas fueran señales o símbolos, interpreta un mundo de significados. Está de suerte al levantar una moneda; más allá recoge un pañuelo, doblado, aún oloroso a plancha; recolecta las cuentas de un collar; pepena un sobre interesante por el timbre postal egipcio; adelante encuentra una pelota, un clip, una sonaja y la mano de una muñeca. Sesga el camino y más allá levanta una redecilla decorada con cuentas negras y granates que seguramente sujetó la cabellera de alguna muchachita. Aspira su aroma, suspira casi amoroso y cantando deambula por el parque. Por intuición se dirige al punto donde termina una larga fuente. Y de pronto, ahí, tras los matorrales hay algo que lo asombra, que lo estremece: es un cuerpo gastado en la fatiga y congelado por el frío, trágico yacente: Es su propio cuerpo lo que ve.

El hallazgo es su propio cadáver.

En ese hábito de buscar cosas, no supo cómo ni cuándo

le llegó la muerte. A pesar del impacto, él sabe que sus restos no son otra cosa más que un desecho de la ciudad. Con aceptación, se sienta al lado de sí mismo a esperar que algún paseante lo halle ahí muerto y llame a la ambulancia para que lo recojan y lo envíen a la morgue.

Gabriel Garzal espera ser hallado.

Truncadora y tornadiza

Yo puse a la niña de yeso en la reja, esa reja magnífica, lo cual me llevó a escribir un cuento, "Truncadora y tornadiza", para una serie de cuentos que tengo titulada "El miedo y sus aliados". Trata sobre la conducta humana, sus complicaciones, sus pantanosos delirios y hundimientos. Siendo este el primer cuento (escrito en 1986) pensé que esta imagen debería ser su portada. En fin, te la mandé porque pensé en algo impactante para tu edición. Usa la imagen si lo quieres.

Aprovecho para mandarte el cuento "Truncadora y tornadiza". Siendo de otro estilo y con la peculiaridad realista-aterradora (a mí no me asusta la mano pachona, ni los colmillos del lobo y su aullido, ni los espectros, ni el diablo mismo, tanto como las oscuras relaciones humanas), no sé qué tanto sea interesante a los lectores. Ignoro si toca el corazón, si tiene impacto y espejo.

—fragmento de una carta de la autora
a Mario Picayo, editor de esta edición

*Cuidado con quienes soportan en silencio burlas
y vejaciones: ellos son capaces de urdir las más
siniestras venganzas.*

—Anónimo

Siempre, al iniciar un proyecto, Oswalda se dice a sí misma: "Ésta es la mejor idea que he tenido".

Hinchada en vanidad al saberse tocando lo insuperable, ahora tiene en mente la "Exposición Internacional de Textiles Tradicionales". Se somete días y noches pegada a la computadora, hace listas de países participantes y nombres de expositores, elabora gráficas cronológicas y páginas ilustradas con muestras de diseños. Un hermoso mundo visual sustentado con textos explicativos, marco histórico, similitudes y diferencias en los textiles de varias culturas. Oswalda trabaja con vehemencia hasta que su entusiasmo es mermado por el cansancio. Entonces se tira en la cama y se imagina cuánto éxito tendrá su idea. Su ensoñación es grandiosa, detallada, plena, y, con la sensación de que todo ha sido hecho, finalmente la vence el sueño.

Despierta satisfecha. En su imaginación el proyecto

está consumado. Después de esta sensación de logro, Oswalda cae en depresión, sin ánimos ni para tomar agua. Huye del vacío mediante el sueño. Desgastada, abatida, otra vez duerme dos días con sus noches.

Oswalda ha dispuesto una mesa en el jardín, junto a la fuente. Comparte el desayuno con Manuel, su esposo. Es una mañana clara, fresca, renueva el ánimo.

—¿Cómo vas en el proyecto de textiles?— le pregunta Manuel.

— Bien. Está plenamente elaborado.

—Magnífico, porque este miércoles tienes cita con el gerente del banco. Están ansiosos por llevarlo a cabo.

—Voy a cancelar el trato. Realmente, eso de los textiles no es tan atractivo. Desperté con una nueva idea, algo mejor. ¿Te imaginas lo que sería un Festival Internacional de Flamenco? El cante jondo es hechizante.

—¿Cante jondo? ¡Joder! ¡No me digas que vas a abandonar los textiles por el cante jondo!

—Sí, desperté obsesionada con esta nueva idea.

—Me parecería bien, Oswalda, si lo hicieras después de terminar el Festival de Textiles. ¡Ya está aceptado!

Tienes garantizado el patrocinio y solo están en espera del proyecto escrito y el plan de logística. ¿Cómo que vas a cancelarlo?

—Lo he visualizado bien y... es cierto, ¡sería maravilloso! pero, lo del flamenco me parece mejor, supera las expectativas. Los textiles tienen el encanto de las texturas y los diseños, pero es solo visual. En cambio el arte flamenco es de mayor impacto, de corazón sangrante, un frenesí sonoro y dancístico. ¡Es pasional! Esta idea surgió cuando recibí por correo electrónico un disco de Lebrijano quien tradujo al flamenco algunos textos de "Cien Años de Soledad" de García Márquez. ¡Hay que oír a ese Lebrijano, "el que moja el agua cuando canta"!

—Estás loca. ¿Cómo se te ocurre, después de meses de trabajo, pretender echarlo por la borda? Te van a largar al carajo, incluso pueden demandarte.

—Pues que me demanden. Me doy por excluida. Cambio de idea no por negligente sino porque aspiro a algo mejor, de mayor impacto.

Oswalda huye de los reproches de Manuel y entra a su estudio dispuesta a elaborar su nueva idea. Piensa, imagina, define los fundamentos de su proyecto y lo desarrolla. Puede o no bañarse, duerme medias horas, come solo higos secos y nueces, bebe vino tinto. Camina a lo largo y ancho de su estudio y da vueltas alrededor de su mesa de trabajo. A veces escribe con cerelidad y en otros momentos se detiene en honda cavilación. No hay nada que la distraiga, porque incluso cuando en ocasiones entra a la recámara para hacer el amor con Manuel, lo hace como quien va a recargar pilas. Y después de agotar a su marido, le habla del proyecto, no para buscar aprobación sino para reafirmar sus propias ideas y volver a su trabajo. Navega en Internet, localiza a los mejores exponentes del flamenco, les comunica su atractiva propuesta, investiga costos, recibe música, fotografías, curriculares y textos. Ahora se entrega a este proyecto de manera tan febril como lo es el mismo cante jondo. A todo volumen escucha alegrías y fandangos, bulerías, tangos y soleá. Saca su propio lamento en las saetas, da giros y zapatea y las palmas de las manos no se le quedan quietas. Se la pasa envuelta en esos líos de sangre, sudor y granadina. Se siente tan gitana que hasta lame la luna.

Y así pasa semanas, sin enfrentar a los del banco para informarles que truncó aquello del Festival de Textiles. Se ha negado a contestar el teléfono y simplemente los dejó botados. No le importa. Sobrará quien se interese en este festival que recorrerá la historia seductora del universo gitano, la belleza estremecedora de lo flamenco. Logrado un panorama general, involucra a personas convencidas de que la oferta es genial y garantiza un éxito rotundo. Oswalda una y otra vez, como vaca dichosa, rumia, visualiza, imagina el lucimiento que tendrá y saborea el triunfo hasta el hartazgo.

Tras esta ardua tarea, solo faltándole refinar algunos puntos y casi consolidado el apoyo gubernamental y el patrocinio de la iniciativa privada, Oswalda sale al jardín y se tira en la silla de tomar sol, satisfecha con las ensoñaciones y desfallecida por el cansancio. Y luego con la necesidad de reanimarse va y seduce a su esposo. Después de meses de abstinencia sexual, se pasa horas con Manuel en un agitado y exigente yugo amoroso. En este campo, la incompatibilidad erótica está llevando al desastre a la pareja. Ella lo aborda con voracidad y él da de sí sin condiciones y eyacula generosamente, pero ella retiene su orgasmo y lo obliga a repetir el coito. De nuevo la eyaculación y la negación de Oswalda a concretar la exultación. Y así, una vez que él se ha agotado después de varias impulsiones, ella lo culpa de eyaculador precoz.

—¡Ay, Manuel, Manuelito! Me voy in albis. ¡En blanco me voy!

—Sí, porque te niegas a llegar al orgasmo. No sé qué ganas con privarte de compartir conmigo el clímax. Lo que pasa contigo es que te gusta más la calentura y la excitación que el desahogo y el placer.

Oswalda se marcha insatisfecha y aprovechando esa ardentía y la ansiedad consecuente, retoma su trabajo. Ella piensa mejor cuando la sangre borbotea en sus venas. Sus propuestas adquieren entusiasmo cuando está caliente, ardiendo en esas ganas, en esa avidez que no será complacida. El deseo abierto la alienta, tensa y desata las ideas. Así ha sido siempre, en los cinco años que llevan de casados.

Los esposos, en su aparente felicidad, ahora disfrutan el atardecer en el jardín. La cafetera invita a la charla.

—¿Cómo va ese proyecto? — pregunta Manuel—. Espero que esto del cante jondo en verdad te haya prendido.

—Estoy harta. Ya me agotó.

—Bueno, cuando entres a la realización, renovarás energías.

—Ya no me interesa.

—¿Cómo que ya no te interesa?

—No, Manuel. Estoy pensando hacer algo más personal y que tenga que ver con nuestra cultura. Se me ha ocurrido que debo escribir un libro. Ya tengo el tema: "Las rutas sagradas de México". ¿No es maravilloso? Pienso viajar, perseguir los misterios, ir a los lugares ceremoniales, entrevistar a shamanes de distintos grupos indígenas. Empezaré por el viaje en el desierto que hacen los huicholes en busca de peyote. Suena fascinante ¿no?

—¿Qué te pasa, Oswalda? No concluyes nada. Cuando estás a punto de consolidar algo, lo sueltas, lo truncas. No has logrado nada en tu vida.

—¿Cómo que no he logrado nada? ¡No he dejado de trabajar nunca! He desarrollado los mejores proyectos que nadie más ha imaginado.

—¡Proyectos, proyectos y más proyectos! Todos sin llevarse a cabo. ¡Eres una persona fallida!

—Tú, Manuel, no serías nadie si no fuera por mí. La idea de crear una fábrica de juguetes fue mía. Los diseños fueron míos. Los programas de publicidad, las estrategias de comercialización, todo, todo fue ideado por mí. No te atrevas a criticar mis actos. No tienes derecho a juzgarme.

—Sí, cierto, la idea de la fábrica fue tuya, así como la invención de ciertos juguetes, pero he sido yo quien la llevó a cabo. Soy yo quien la dirige y la sustenta. Y soy yo quien con mi esfuerzo te ha enriquecido con las ganancias de la fábrica. Si por ti fuera se habría quedado en papeles escritos, en sueños irrealizados. Te reclamo porque es necesario que te des cuenta de tus ímpetus varados, de tu ánimo mudable, de tu inconsistencia, de tu inconstancia y lo frustrante que eres contigo misma. ¿A qué le tienes miedo, Oswalda? ¿Al fracaso o al éxito? ¿A qué viene esa manía tuya de tronchar todo lo que emprendes? Te lo he dicho mil veces: debes de atenderte con un psiquiatra.

—El loco eres tú, Manuel. Tienes esa locurilla producto de la envidia. Hay quienes se pegan como lapas a una sola idea, y se la pasan adheridos a ella hasta sus últimas consecuencias porque son incapaces de crear algo nuevo, de generar algo más, diferente. Pero en mi caso, es la imaginación lo que me mueve y me cambia. Tengo la capacidad de vislumbrar mil cosas que podrían hacerse. Y si voy desechando cuantas ocurrencias tengo, es porque me basta el solo hecho de haberlas ideado. Siempre mi manantial de ideas me hace fluir hacia algo nuevo. Y por supuesto siempre voy en pos de algo mejor, más atractivo.

—¿Y qué fue más atractivo que el hijo que abortaste a los siete meses de embarazada? Dime ¿qué fue más atractivo que la vida que se gestaba en tus entrañas?

Es la primera vez que le reclama el hijo abortado sin su consentimiento. Oswalda no encuentra la manera de enfrentar su incriminación. Al inicio del embarazo tuvo apego a su criatura y se llenó de ilusiones imaginándose que sería la madre perfecta pero, luego, solo sintió que cargaba un fardo, algo ajeno a sí misma, que la invadía, la debilitaba succionándole la vida. Durante siete meses vivió ocultando ese infierno, completamente sola y aterrada. Nadie se dio cuenta de su sufrimiento, todos estaban eufóricos con el niño próximo a nacer. Cuando Manuel salió de viaje para arreglar una fuerte exportación de juguetes, Oswalda acudió a su hermano Armando, el médico.

—Tienes que ayudarme. Quiero abortar.

—A estas alturas, ¡ni pensarlo! El producto está muy desarrollado, es peligroso para ti; sería un crimen.

—Está acabando con mi vida. No duermo, no trabajo, ni siquiera puedo pensar. Consume mi energía. Lo siento como un hongo carnívoro, como una hiena. ¡Me devora, Armando, me devora!

—Eso es normal. En algún momento, todas las madres tienen esa sensación y hay ciertos miedos y desasosiego, pero eso pasa, se convierte en felicidad, en entusiasmo al contribuir con el milagro de la vida.

—No, Armando, no. En mí solo crece el miedo, el rechazo. Si llegara a nacer, solo podría odiarlo. ¿No me entiendes? ¡Es devastador! Si no me ayudas tú, buscaré otro médico. Y si no encuentro ayuda, lo acabaré yo misma, tomaré pastillas, usaré agujas de tejer, me arrojaré por las escaleras, lo que sea, pero acabaré con este intruso que me consume.

—Lo que necesitas es ayuda psicológica. Te recomendaré con Martha Figueres, es muy buena terapeuta.

—¡Si no me ayudas, me suicidaré, Armando, me suicidaré! Te lo advierto.

Fue tanta la presión de Oswalda, tan amenazante la fuerza de su odio contra el nonato que Armando cedió. Primero le aplicó inyecciones y una vez provocado el desangramiento, ella acudió al sanatorio y ante la evidente emergencia le practicaron cesárea sacando a la criatura muerta. Oswalda aparentó tal tristeza con la pérdida que, todos en conmiseración, evitaron comentar el asunto. Dos años después, una enfermera, a cambio de juguetes para la Navidad de sus siete hijos, le reveló a Manuel la verdad de lo acontecido. Por un tiempo Manuel ha fingido ignorarlo, pero hoy estalló. La recrimina con ahínco y llega al extremo de pedirle el divorcio.

Ambos pasan el infierno de los citatorios y litigios. Manuel impone sus razones. En el acta, además de señalar la incompatibilidad de caracteres, hace hincapié en las desavenencias sexuales. Precisa que en sus relaciones eróticas son iconexos y que tal discordancia lo ha llevado a la soledad y al hastío. Manuel califica a Oswalda de mujer truncadora y tornadiza con quien es imposible concretar una vida matrimonial. La acusa de ser bipolar, eufórica-depresiva, adicta al trabajo sin conclusión. Reclama que se niegue a recibir atención psiquiátrica. Dice que Oswalda es una mujer sin logros que arroja al caño todo esfuerzo y la vida misma. ¡Es de carácter abortivo! Esto es lo queda escrito en el acta, bien puntualizada la denuncia del hijo abortado. Manuel gana el divorcio.

Oswalda decide dejarle a Manuel la gran residencia y se traslada a la pequeña casa que compraron al casarse.

—No me llevaré ninguno de los proyectos pasados. Quiero irme en tabla rasa para elaborar nuevos.

Oswalda cierra con llave el armario donde deja guardadas treinta y seis carpetas, evidencia del tiempo invertido en sus proyectos.

—¿Por qué nunca me hablaste de lo mucho que mi persona te disgusta? ¿Por qué hasta ahora? ¿Por qué en un acta de divorcio sueltas esa crítica tan sarcástica y contundente? ¿Por qué, Manuel?

—Siempre te lo he dicho, pero tú no escuchas. Solo tienes oídos para tu propia voz.

—¿Si?

—Sí. Jamás te ha interesado lo que pienso de ti.

— ¿Me has dejado de amar?

—Te sigo amando pero no te soporto.

—Yo tampoco te soporto, pero igual, te sigo amando. Y sí amarse no es tolerable, pues, me voy. Adiós, Manuel, adiós.

—Una sola pregunta: ¿Irás a ver un psiquiatra? ¿Pedirás ayuda? La necesitas.

—Ni lo sueñes. No me interesa "normalizarme". Adiós.

Para Oswalda el divorcio ha sido un golpe tan sorpresivo como doloroso. No logra asimilar las razones expuestas por Manuel. Revisa el acta de divorcio. Se estremece cada vez que lee el calificativo de "carácter abortivo". No abortó por ser una desalmada, lo hizo en defensa propia, ese hijo la minaba y, si hubiera nacido, la habría anulado. Fue imperioso desecharlo, pero Manuel no entiende eso y aunque lo ignore, ese fantasmita la abruma, le provoca desasosiego, horror de sí misma. No le es fácil recordar que deshizo a un ser como gelatina en agua caliente. De vez en cuando recuerda el suceso, lo califica de desangramiento devastador pero no registra la culpa del infanticidio. El trabajo la libera, la aleja del remordimiento. Y... por otra parte, piensa que tiene derecho a ensoñar, es imaginativa y las ideas encuentran su fin en sí mismas. ¿Qué tiene de malo eso? Le duelen las palabras "truncadora", "tornadiza", "mujer fallida". Después de todo ¿qué le importa a él que ella no lleve a cabo sus proyectos?

Ahora que ha vuelto a su primera casa, a pesar de tener el propósito de crear un mundo a su gran antojo y de rehacer su vida con plena libertad, no logra ni siquiera terminar de desempacar. Ha intentado pintar un muro pero solo pudo dar unos brochazos. Pasa noches de insomnio sin que se le ocurra una sola idea y no tiene ni la inspiración ni la constancia necesaria para escribir o planear. ¿Viajar por las rutas sagradas para investigarlas y escribir el libro? Ni siquiera puede ir al supermercado aun cuando el refrigerador está vacío. No logra registrar cuánto tiempo lleva viviendo sola. Está paralizada. Manuel la ha minimizado a cero, sin embargo lo extraña aunque la relación sexual sea solo para saborearse los sudores, él en el esforzado cumplimiento y, ella, conteniendo el orgasmo. ¿Y si lo llamara? ¿Por qué ocultarle que lo necesita? Relee el acta de divorcio:

"inconexos en la relaciones eróticas". Pero ahora ella podría sorprenderlo, entregarse por primera vez, lograr la conexión, alcanzar juntos el clímax, y quedarse con él, apretada a su cuerpo en un nudo ciego. ¡Imposible! Ella sabe que su naturaleza no se lo permitiría. Pobre Manuel, lo recuerda diciendo:

—Vente, Oswalda, vente. ¡Al unísono!

—Quizá... si lo intentamos de nuevo.

—Estoy agotado. Pero la próxima vez te juro que voy a quitarte esa frigidez.

—Si no soy frígida, Manuel. Solo que no has hecho lo necesario para merecer.

—¿Cómo quieres que te corresponda?

Oswalda recuerda y reconoce que se ha burlado de su virilidad y descubre, por vez primera, una culpa que no obstante se fermentó en lo más oscuro de su ser, no fue asimilada en la conciencia. Pensando en Manuel hasta el cansancio logra finalmente concebir el sueño.

Para sorpresa de Oswalda, Manuel llega a visitarla. Ella lo abraza en ton de recibir a quien ha perdonado y retornado. Él la rechaza, se mantiene frío.

— ¡Válgame! Han pasado cuatro meses y aún no has

desempacado.

—Lo estoy haciendo, por partes, conforme voy necesitando mis cosas.

—Se ve que no has necesitado nada —le dice Manuel al mirar las cajas y maletas cerradas.

El muro está a medio pintar, unos cuantos brochazos azules sobre el envejecido rosa. Antes de que él haga cualquier comentario al respecto, Oswalda le aclara:

—Hoy comencé a pintarlo. Yo misma quiero pintar las paredes. Es una manera de tomarle de nuevo cariño a la casa.

— ¿Cuánto llevas sin poder continuar?

—Me estás amonestando.

—Te estoy pidiendo disciplina. Lo que quiero es que dejes de meterte zancadillas tú misma. Al no concluir tus proyectos, te vas llenando de huecos.

—Ah, para ti soy toda una oquedad.

—Y bastante profunda. Dime ¿por qué no has ido con un psiquiatra?

—Porque no lo necesito, Manuel. En todo caso yo puedo corregir mis fallas.

—Estaba seguro de que me contestarías eso. Así que pensé en una forma infalible en la que tú misma puedes ayudarte. Te traje un regalo. Ahora vuelvo, voy a la camioneta.

Manuel regresa con cuatro ayudantes que cargan unas cajas. Van y vienen llenando la sala con el cargamento.

—¿Qué es todo esto, Manuel?

—Algo que he pensado bien para sacar al buey de la barranca.

—¿Por qué te empeñas en decir que estoy hundida?

—He inventado esta muñequita para ti.

Le muestra una muñeca en porcelana blanca, desnuda, de pie, con el corazón a flor de piel, resaltado y palpitante; la mirada azul de bella transparencia. Oswalda la toma en sus manos, la acaricia, se embeleza y… ríe.

—Es hermosa, pero se le cayó un ojo. Está tuerta.

—Todas están tuertas. De eso se trata el regalo curativo. Por cada cosa que concluyas, les irás poniendo a las muñequitas el otro ojo que les falta. Es un juego, un juego recreativo y reparador. Podrás darte cuenta de cuántas cosas vas logrando, mientas que las tuertas representarán tus obras inconclusas. Te traje cuatrocientas muñequitas de veinte centímetros; trescientas miden cuarenta y cinco y cien más son de un metro. Según sea el tamaño o la importancia de lo que hayas iniciado y concluido, escoges una pequeña, mediana o grande y le injertas un ojo. Y algo más, formidable, dos de ellas son de tamaño natural para custodiar tu puerta. Mira, tienen un mecanismo muy fácil. En esta bolsita que traen como collar, está el ojo que falta. Le giras la partede atrás de la cabeza y se abre. Ahí están las dos membranas de hule donde contener los ojos. Metes el ojo por la abertura. Entra con justeza, no hay modo que se salga. Cierras la cabeza y… ¡ya está! ¡Dejará de estar tuerta! ¿Te gusta el color de ojos que elegí? Azul celeste, muy cristalino; te dará serenidad. ¿Has notado el corazón en relieve?

—Sí, sobre la porcelana blanca es el único detalle en rojo. Y… ¿Por qué tiene una manecilla?

—¿No la escuchas latir? Tic-tac, tic-tac. ¡Es un reloj, un minutero! No tendrás que darles cuerda, funcionan con cuarzo. Eso te ayudará a medir el tiempo segundo por segundo, a valorarlo. ¿Qué te parece?

—Me parece que el enfermo eres tú. La idea es genial, y quizá sea muy divertido, pero… ¡Manuel, por Dios! podrías haberme traído una sola muñequita y luego otra, según vaya yo avanzando. Solo a ti se te ocurre traerme tantas. ¡Ochocientas muñecas! ¿Dónde las voy a poner?

—En todas partes —dice Manuel echando manos a la obra—. Mira, comenzaré a llenar este estante.

Y así, con buena visión decorativa, agrupándolas y aprovechando sus distintos tamaños para lograr interesantes perspectivas, va colocando las muñecas en repisas, encima de las mesas y escritorios, sobre el suelo en los rincones, en los escalones, entre las plantas del jardín interior, y también en el exterior e incluso pone una de pie en el columpio que cuelga del roble. Coloca varias en las ventanas donde parecen como asomándose. En busca de aprovechar más espacios, utiliza el hueco de la escalera, la chimenea, el baño, la alacena y la cocina. Y en las cómodas y en el closet, en cada cajón, guarda una de las muñecas pequeñas e incluso pone doce de ellas en la zapatera. Satura toda la casa. Oswalda, desconcertada, lo ayuda a desempacar. Con disgusto arroja a la cochera las envolturas y las cajas vacías.

—¡Cuánta basura, por Dios, cuánta basura!

—No te preocupes. Ahora mismo los muchachos la echarán a la camioneta. ¿Te gusta cómo se ve? Es muy sugestivo, alegórico. Parece una exposición de arte moderno.

—Sí, una exposición de Yoko Ono sacando a la vista lo peor de sí misma. Esto me parece una galería de terror —dice Oswalda alarmada—. Es más, esto es jorodowskiano. Y lo peor es ese tic-tac. Es enloquecedor.

—¡Magnífico! ¡Hemos terminado! Así que esta muñequita con la que te enseñé cómo ponerles el ojo faltante, será la primera evidencia de un trabajo concluido. Simboliza tu decisión de sanarte mediante esta terapia singular.

—Esto es delirante, es invasor, Manuel. No lo soportaré.

Manuel la calla con un largo beso en la boca. Luego le golpea la frente como si tocara una puerta.

—Confío en ti. Serás capaz del mayor esfuerzo. Empieza con cosas pequeñas, de poca importancia. Hazlo despacito. Sé que con el tiempo no habrá ninguna muñeca tuerta.

Ya sola, Oswalda mira a su alrededor. Se estremece. Por más que intenta huir de esas muñecas blancas, con un ojo azul y un hueco negro, no logra apaciguar su miedo. Para donde quiera que mire, siente que ese ojo es el de Dios, y cada hueco es satánico. El tic-tac, a pesar de que en cada una es casi inaudible, producido al unísono por las ochocientas muñecas, se vuelve ensordecedor. Terrible es ese pip que señala el término de cada minuto. Para Oswalda este zumbido significa el tiempo vano. El miedo crece y la paraliza. Se reanima al pensar que vencerá el reto impuesto por Manuel. Si él cree que esto la va a perturbar ¡se equivoca! Irá quitándole lo tuerto a cada una, no importa cuánto tenga que esforzarse. "Despacito", dijo él. Ella lo hará con rapidez. O como sea, pero lo hará.

Decide no dormir hasta terminar de pintar la pared. Da unos brochazos más y entra en desasosiego. Suspende la labor y hambrienta va a la cocina. Solo encuentra una bolsa de harina y un poco de aceite. Decide hacerse un pan. Amasa. El salero está vacío y sabe que no queda nada de azúcar. Tampoco hay levadura. Ni modo, hará un ácimo. Se arrepiente, ni que fuera judía y además no es pascua. Entonces decide desempacar su ropa, al cabo que son solo dos maletas. Abre la más pequeña, llena de zapatos y tres sombreros. Intenta poner unos clavos y al no hallar un martillo usa una piedra. Inútil, todos los clavos se le doblan y cuando va a colocar sus zapatos encuentra que la zapatera está llena de muñecas, entonces los avienta debajo de la cama. Vuelve a la pared. Da otros brochazos. Le disgusta ese azul demasiado pálido. Va hacia la bodega y solo encuentra medio litro de azul marino y un bote pequeño de pintura naranja.

Comienza a pintar por el otro lado del muro, hasta juntar los dos tonos de azul. El marino no le alcanza para cubrir toda la pared. Con rabia da brochazos a diestra y siniestra moteando apenas sobre el azul pálido y, para puntualizar su enojo, sobrepone unas manchas anaranjadas. El muro es una porquería, piensa, como si fuera la pared de una escuela de párvulos. Vuelve a la cocina y mete la masa al horno. Disfruta del aroma al inicio del cocimiento hasta que un olor le advierte que algo anda mal. El horno se ha apagado y lo que huele es el último residuo de gas. El pan no alcanza a cocerse.

—¡Mierda!—exclama con frustración—. ¿Qué pasa ahora que, aunque lo deseo, no logro terminar nada?

Se sienta y come pellizcos de ese pan caliente y casi crudo. Siente que la muñeca que está al centro de la mesa la ve culpándola. No soporta el reclamo y de un manotazo la tira al suelo, cae, se rompe como una enemiga vencida. No obstante Oswalda siente que continúa la presencia espectral del ojo cristalino y del hueco desafiante. Amanece y sin ganas de subir a su recámara se queda dormida, ahí doblada sobre la mesa.

Manuel llega con la primera luz del alba. Entra cantando, mostrando su buen ánimo.

—¡Vaya!—grita en tono festivo. ¡Un muro completamente pintado! Esto es un adelanto.

—No te burles—contesta Oswalda saliendo de su modorra. Cambié de idea respecto al color y no me alcanzó la pintura azul marina.

—No importa. Se ve interesante y me gustan esos manchones naranjas, parecen peces. Le voy a escribir aquí un título para darle el carácter de obra pictórica.

Escribe: *Ideas que se mueven como cardúmenes para hundirse en los abismos del océano.*

—Fírmalo. Esto te recordará aquello de tus borbotones de ideas.

—Cuánto has cambiado, Manuel. Ahora eres tan sarcástico.

Al decir esto, hay auténtica tristeza en Oswalda. Ella que antes llevaba el control de todo, ahora se ve sometida a Manuel. Firma. Su letra es débil, quebrada.

—Esto merece ponerle un ojo a una tuerta — afirma Manuel con ironía.

—¿Tú crees?

—Por supuesto. Es un paso, querida Oswalda. Por insignificante que parezca, esto se entiende como progreso. No olvides que no te pido que hagas grandes cosas. Solo hechos simples, pero finiquitados. ¡Te has ganado el derecho de ponerle el ojo a una tuerta!

Manuel toma una de las muñecas grandes. Oswalda le acomoda el ojo. Él aplaude y coloca a la muñeca junto al muro, justo ahí donde está el título y la firma de Oswalda. Ella lo lleva a la cocina. Se le abraza llorando y desconsolada le muestra el pan y la muñeca rota.

—Te juro Manuel que mi intención era hacer un pan y con ello poner el primer ojito a una de las monas, pero ¡se acabó el gas! Mira, con el hambre que tenía tuve que comer masa cruda.

—Paso a paso vas a ir resolviendo todos los problemas.

Manuel marca su celular y pide servicio de gas. Después llama a María y le ordena que mande al chofer al supermecado a comprar todos los víveres necesarios para sustento de una semana. Manuel y Oswalda se quedan sentados sin decir una palabra. El silencio pesa y ella lo aborda con caricias. Apenas van entrando en calentura cuando interrumpen los del gas. Luego llega el chofer con dos cajas de víveres. Cumplida esta ayuda, Manuel decide retirarse. Ella se queda ahí en la cocina, sin ánimos de arreglar la alacena. Saca todo de las bolsas y solo guarda lo que necesita ser refrigerado. Aplaca su hambre con unas rebanadas de jamón. Y vuelve a quedarse dormida, ahí, apoyando brazos y cabeza sobre la mesa.

Ya en la tarde, casi de noche, abre una de las cajas de libros, busca algo fácil de leer y elige uno pequeño: "Veinte poemas de amor" de Pablo Neruda. Suficientemente breve como para leerlo completo esa misma noche. Prepara la tina de baño con agua bien caliente y sales relajantes. Cuando se desnuda, la invade un extraño pudor. Se cubre y se mete a la tina envuelta en la toalla. La mirada de las tuertas es escalofriante, sin embargo trata de concentrarse en la lectura para, esa misma noche, meterle un ojo a alguna de ellas. Imposible. Tiembla tanto como si el agua estuviese helada. No logra retener un solo verso. ¿Cómo va a poder leer si esas acosadoras no le quitan el ojo de encima? La miran con insistencia. Decide irse a dormir. El libro queda flotando en la tina, entre espumas y vapores.

¿Cuántas muñecas hay en su cuarto? Las cuenta. Veintiséis rodean su cama. Abre un cajón para sacar sus píldoras somníferas y se encuentra con otra muñeca que la mira fijamente. Sale del cuarto, recorre el pasillo lleno de muñecas. Baja la escalera con la sensación de que va a ser atrapada. En cada escalón teme recibir una zancadilla. Desde los rincones la azuzan. Todas la miran con su ojo azul. Eso no es tan espantable como el negro hueco de la órbita vacía. Sí, le tiene más miedo a los huecos, a esa oscuridad infalible que atrae como un abismo. Tic-tac, tic-tac y bip cada segundo: el tiempo se le escapa. Si al menos se detuvieran esos relojes, respirar en el silencio. No, mejor no, podría detenerse su propio corazón. Desde las ventanas varias fisgonean cada uno de sus actos. Sale al jardín, y las que la acechan de entre las plantas adquieren un poder salvaje. Esa línea de muñecas grandes a lo largo de la barda, cual ejército, cumplen con un propósito carcelario. Y esas dos prominentes, una a cada lado de la puerta, son guardianes que gritan: "¡No hay paso! ¡No te dejaremos salir!"

Regresa a su cuarto y se oculta bajo las cobijas. El acto de poner ojitos no es un juego restaurador, de ninguna manera lo es. Esto es un acoso, una venganza asfixiante. Manuel encontró la forma de desquiciarla y cada vez sus nervios toleran menos este escenario de pánico. ¿Cómo fue que Manuel, el dulce y tolerante, el sumiso, pudo llegar a elaborar tan truculenta idea? Ella podría burlar el juego. En sus manos está acabar con esa tontería. Pensando así, avienta las cobijas y les va colocando los ojos a varias muñecas, pero son tantas que la tarea parece interminable. Tiembla cuando les mete los ojos, y tiembla aun más conforme se apresura a hacerlo. Quiere que cuando venga Manuel encuentre que ya no hay ninguna tuerta. Eso sería como decirle "Al diablo con tu juego. Esto no tiene nada de terapia. Tu idea es fallida". Son tantas, tantas las tuertas y ella está tan cansada. Al menos ha normalizado a todas las que están en su cuarto y las del baño. Con ambos ojos puestos, las figuras son menos agresivas. Aún así las miradas fijas, cristalinas, no dejan de perturbarla. Mañana continuará con el trabajo. Es hora de acostarse a dormir. Necesita descansar.

El sueño no la libera. Las pesadillas resultan más abrumadoras. Sueña que todas las muñecas han perdido los dos ojos y las cuencas oculares vacías son de un satanismo doblemente pavoroso. Despierta empapada de sudor y es del mismo miedo donde saca la energía para destrozar varias con un palo. Las golpea, las destroza. En plena crisis se obnubila y pierde la visión por un momento. ¿Ciega? ¡Ni lo quiera Dios! ¿Acaso tienen poderes? ¿Son muñecas embrujadas? ¿Sería Manuel capaz de hacer tal maleficio? Recobra la vista. Se apresura a barrer y a esconder la pedacería y se esmera en volver a dejarlas tuertas. Al quitarles los ojos, a veces estos se le chispan de las manos y ruedan por el suelo. Anda a gatas recuperando ojos.

Será imposible disimular la ausencia de las muñecas rotas. Seguro Manuel se dará cuenta de inmediato y preguntará por todas las que faltan. Lo más fácil sería irse de la casa, huir del país, olvidar a Manuel y volver a ser ella misma, con todos sus defectos, pero ella misma. No tiene fuerzas de escapar, teme que las custodias de la puerta se lo impidan. Vuelve a sentir el deseo de superar el reto. Ahí se quedará atrapada, luchando en contra de su tendencia a lo inconcluso. Ahí tendrá que permanecer meses o quizá años, doblemente vigilada: por un lado Manuel que inspeccionará todos y cada uno de sus actos para que no sean truncados, exigiéndole que hasta la más mínima de sus intenciones se lleve a cabo, y por otra parte, la acosarán las tuertas espantosas, marcando el tiempo perdido, demoledoras de todas sus fantasías.

Sobre la ilustradora
Atenea Magoulas

Atenea Theodorakis Fernández, (1966-2002) nació en México, hija de madre soltera. Desde su adolescencia fue actriz, modelo, artesana y pintora. Durante 16 años tomó a cargo la Casa Fuerte del Indio Fernández, su abuelo, promoviéndola como centro cultural. Coordinó conciertos, exposiciones de artes plásticas, conferencias y filmaciones. Organizó la fototeca del cineasta y su correspondencia.

Cuando cumplió 28 años se dio a la gesta de buscar a Dionisio, su padre, originario de Grecia, del cual ignoraba su nombre completo y residencia. Magoulas era su apellido y lo encontró en Kefalonia. Durante la búsqueda, en sus viajes por las islas griegas, quedó impactada con las antiguas pinturas minoicas, advirtiendo gran semejanza con las propias: toros, toreras desnudas, mujeres vistiendo túnicas y tocados, perfiles estoicos, narices prolongadas y cabellos ensortijados. Tuvo la sensación de haber vivido en la antigua Creta, en Cnossos. "Fui modista y orfebre" comentó con certeza. Esto suscitó en ella un mayor empeño en el arte pictórico y la orfebrería. Delineaba la figura y repetía la línea hacia adentro como buscando en los miembros un núcleo, el origen. Atenea murió cuatro años después de haber conocido a su padre. Las viñetas que aquí acompañan a los cuentos, ilustran su fascinación por lo cretense.

ADELA FERNÁNDEZ nacio el 6 de diciembre de 1942 en la Ciudad de México. Ha realizado cortometrajes en cine experimental y es autora de varias obras teatrales. Ha publicado libros de historia y antropología, es biógrafa, gastronómica, indigenista, investigadora y viajera. Siempre interesada en la conducta humana, ha tenido predilección por una narrativa vinculada con la magia, las aventuras psíquicas y el surrealismo (de la contra tapa de *Duermevelas*, ediciones Aliento, México).